Mots mystères

Maurice Saindon et Suzanne Saindon

D0544420

éditions BRAVO!

© Maurice Saindon, Suzanne Saindon et
Les Publications Modus Vivendi inc., 2011

Publié par les Éditions BRAVO!, une division de
LES PUBLICATIONS MODUS VIVENDI INC.
55, rue Jean-Talon Ouest, 2ᵉ étage
Montréal (Québec) H2R 2W8
CANADA

Directeur éditorial : Marc Alain
Éditrice adjointe : Isabelle Jodoin
Conception des mots mystères : Maurice Saindon et Suzanne Saindon
Réviseure : Catherine Leblanc Fredette

Dépôt légal : Bibliothèque et Archives nationales du Québec, 2011
Dépôt légal : Bibliothèque et Archives Canada, 2011

ISBN 978-2-89670-054-7

Imprimé au Canada

TABLE DES MATIÈRES

Truc des auteurs :
Vous aurez plus de chance de réussir si vous commencez par repérer les mots les plus longs.

Comment jouer

Repérez dans la grille tous les mots de la liste et encerclez les lettres qui les composent, puis trouvez le mot mystère à l'aide des lettres restantes.

Exemple :

I	Ⓔ	E	U	Q	I	T	I	L	O	P	R	Ⓔ	E	E
N	Ⓒ	T	R	O	M	E	T	N	O	H	I	Ⓣ	X	E
T	Ⓝ	T	D	A	R	G	E	N	T	N	R	Ⓘ	E	S
E	Ⓔ	E	E	X	I	O	H	C	O	O	G	Ⓜ	S	T
N	Ⓣ	D	S	P	R	O	C	I	P	E	I	Ⓘ	R	H
S	Ⓢ	E	I	P	E	E	T	S	N	N	A	Ⓛ	E	E
E	Ⓘ	V	R	I	I	C	S	C	O	E	M	R	T	T
I	Ⓧ	O	L	D	E	O	Ⓔ	I	R	A	O	U	L	I
R	Ⓔ	O	A	F	C	Ⓧ	T	Ⓑ	M	S	V	F	U	Q
T	F	L	R	I	Ⓐ	A	I	Ⓞ	O	O	O	G	S	U
E	A	E	E	Ⓖ	G	L	U	Ⓤ	P	R	N	L	N	E
M	P	T	Ⓔ	I	I	R	O	Ⓛ	T	E	C	O	O	I
Y	E	Ⓡ	L	U	E	R	I	Ⓞ	R	C	U	I	C	R
S	Ⓔ	B	Q	R	E	V	E	Ⓣ	N	A	S	R	M	E
Ⓡ	O	E	E	D	I	R	E	S	I	L	A	E	D	I

A
Amour
Argent

B
~~Boulot~~

C
Choix
Consulter
Corps
Croire

D
Désir

E
Équilibre
~~Exagérer~~

Exigence
~~Existence~~

F
Folie
Fort

G
Gloire

H
Héros
Honte

I
Idéaliser
Idée
Intense

L
~~Limite~~

M
Maigrir
Maladie
Microbe
Mort

O
Obligation

P
Perfection
Peur
Politique

R
Rêve

S
Santé
Sexe
Société
Sport
Symétrie

V
Vedette

Nº 1
Thème : Malfaiteur
Mot de 10 lettres

T	I	D	N	A	B	N	O	R	R	A	L
C	T	A	R	E	L	E	C	S	P	F	G
A	F	R	U	E	U	T	I	V	R	E	N
M	C	L	N	O	R	I	N	I	U	S	A
B	A	U	I	A	Y	A	P	S	E	C	G
R	N	O	E	B	B	O	I	O	T	R	A
I	A	L	V	R	U	R	V	F	N	O	N
O	I	I	O	I	G	S	O	N	A	C	G
L	L	F	L	N	I	E	T	F	H	M	S
E	L	L	E	R	G	E	P	I	C	E	T
U	E	R	U	V	A	U	R	I	E	N	E
R	N	I	R	D	N	A	L	A	M	R	R

B
Bandit

C
Cambrioleur
Canaille
Chanteur

E
Escroc

F
Filou
Flibustier
Forban (2)
Fripouille

G
Gang
Gangster

L
Larron

M
Mafia
Malandrin

N
Nervi

P
Pègre (2)

S
Scélérat

T
Tueur

V
Vaurien
Voleur
Voyou

N° 2
Thème : Manières
Mot de 7 lettres

S	R	U	E	O	M	T	A	C	T	C	E
E	E	T	T	E	U	Q	I	T	E	T	R
I	S	F	E	F	F	A	G	R	T	N	R
R	I	A	I	C	R	T	E	E	I	E	E
E	A	C	N	I	I	M	U	U	M	I	M
T	E	O	A	C	O	Q	S	R	A	T	E
N	N	N	M	N	N	A	E	E	N	N	N
A	I	S	I	A	G	G	L	G	I	I	T
L	T	E	R	E	L	V	I	L	E	A	S
A	U	F	S	E	S	I	A	E	U	M	M
G	O	E	D	U	T	I	B	A	H	R	E
E	R	V	I	V	R	I	O	V	A	S	E

A
Air
Aise (2)
Allure

C
Cérémonie

E
Errements
Étiquette

F
Façons
Franquette

G
Gaffe
Galanterie

H
Habitude

M
Maintien
Manie (2)
Mœurs

R
Règle (2)
Routine

S
Savoir-vivre

T
Tact
Tic

U
Usage

N° 3
Thème : Métaux
Mot de 9 lettres

E	R	U	C	R	E	M	P	M	E	T	E
L	E	K	C	I	N	L	U	R	N	U	S
P	C	N	I	Z	A	I	O	L	E	N	E
T	L	N	Z	T	N	E	E	A	D	G	N
N	N	O	I	I	N	E	M	N	B	S	A
E	C	N	M	A	R	P	Y	T	Y	T	G
G	E	U	T	B	T	C	D	H	L	E	N
R	L	I	I	L	Z	E	O	A	O	N	A
A	T	F	T	V	A	I	E	N	M	E	M
R	E	I	C	A	R	B	N	E	I	O	U
R	A	D	I	U	M	E	O	C	R	U	N
E	L	A	T	N	A	T	I	C	U	M	M

A
Acier
Aluminium
Argent

C
Cobalt
Cuivre

E
Étain

F
Fer

L
Lanthane

M
Manganèse
Mercure
Molybdène

N
Néodyme
Nickel

O
Or (2)

P
Platine
Plomb

R
Radium

T
Tantale
Titane
Tungstène

Z
Zinc (2)
Zirconium

Nº 4
Thème : Maison
Mot de 12 lettres

R	O	D	I	R	R	O	C	S	O	T	O
I	P	C	N	O	R	R	E	P	N	I	E
O	A	E	O	U	R	S	B	E	T	A	E
V	S	E	G	U	C	S	M	A	E	N	R
I	S	C	M	A	L	E	P	I	I	S	T
V	A	E	L	B	T	O	R	S	A	O	N
B	G	I	V	R	O	E	I	L	S	U	E
U	E	P	A	A	L	U	O	R	H	S	S
R	E	P	M	A	C	N	D	A	E	S	A
E	P	E	G	A	T	E	L	O	N	O	L
A	D	R	A	C	A	L	P	T	I	L	L
U	E	L	U	B	I	T	S	E	V	R	E

A
Appartement

B
Boudoir
Bureau

C
Cave
Corridor
Couloir
Cuisine

E
Entrée
Escalier
Étage (2)

G
Galerie

H
Hall

M
Mur

P
Passage
Patio
Perron
Pièce
Placard

S
Salle

Salon
Sous-sol

V
Vestibule
Vivoir

Nº 5
Thème : Calendrier
Mot de 12 lettres

I	D	E	R	C	R	E	M	D	I	A	M
S	A	E	N	I	A	M	E	S	A	H	N
P	E	E	R	S	A	M	E	D	I	T	N
M	N	N	S	E	T	A	D	V	A	I	E
E	N	N	M	E	I	I	E	O	U	R	R
T	O	A	R	O	P	R	U	J	B	O	B
N	I	S	V	E	T	T	V	M	E	C	M
I	S	A	R	S	I	U	E	E	A	T	E
R	I	I	L	I	R	V	A	M	F	O	C
P	V	S	T	U	O	A	N	I	B	B	E
S	I	O	M	N	R	S	R	A	M	R	D
E	D	N	T	E	L	L	I	U	J	E	E

A
Année
Août (2)
Automne
Avril

D
Date (2)
Décembre
Division

F
Février

H
Hiver

J
Janvier
Juillet
Juin

M
Mai
Mars
Mercredi
Mois

N
Novembre

O
Octobre

P
Printemps

S
Saison
Samedi
Semaine
Septembre

N° 6
Thème : Été
Mot de 8 lettres

T	S	U	E	R	R	E	T	R	A	P	L
E	C	E	N	I	C	S	I	P	A	M	I
L	E	D	A	N	G	I	A	B	R	P	E
A	E	L	A	H	A	L	E	E	L	T	L
H	P	C	A	M	A	H	G	A	R	O	O
C	A	E	E	F	P	A	T	A	U	N	S
V	R	R	L	N	T	E	B	B	E	D	E
P	E	O	O	O	F	R	I	S	L	E	D
L	G	Z	P	O	U	K	G	U	A	U	N
A	A	N	R	N	I	S	E	E	H	S	I
G	N	M	I	N	A	G	E	R	C	E	A
E	E	R	I	R	E	I	L	I	O	V	B

B
Baignade
Bain de soleil
Bikini
Brunir

C
Chalet
Chaleur

G
Gazon
Golf

H
Hâle (2)
Hamac

M
Mer

N
Nager (2)

P
Parterre
Pelouse
Piscine
Plage
Plate-forme
Potager

S
Suer (2)

T
Tondeuse

V
Vacance
Voilier

N° 7

Thème : Automobile

Mot de 7 lettres

R	U	E	T	A	I	D	A	R	E	T	A
U	E	L	A	D	E	P	U	S	N	C	E
E	C	T	L	U	N	E	I	A	C	E	S
T	O	N	R	E	T	R	L	E	L	I	S
A	F	T	I	O	B	O	L	L	C	O	U
N	F	O	M	E	V	E	E	R	E	R	I
R	R	P	R	T	R	I	T	O	I	R	E
E	E	A	E	A	B	F	S	U	N	U	G
T	P	C	T	U	E	N	P	E	T	O	L
L	O	E	R	U	E	T	O	M	U	C	A
A	U	I	E	R	T	L	I	F	R	R	C
R	U	E	T	A	L	I	T	N	E	V	E

A
Accélérateur
Alternateur

B
Bielle

C
Capot
Ceinture
Coffre
Courroie

E
Essuie-glace

F
Filtre
Frein

M
Moteur (2)

P
Parebrise
Pédale
Pneu

R
Radiateur
Rétroviseur
Roue

T
Toit

V
Ventilateur
Volant

N° 8
Thème : Véhicule
Mot de 4 lettres

E	L	O	I	R	R	A	C	E	M	E	E
R	U	E	T	C	A	R	T	T	O	T	T
C	D	E	O	T	U	A	L	T	T	T	T
A	R	D	T	D	T	C	A	E	E	E	E
R	A	R	E	I	O	E	N	L	C	N	N
R	L	A	L	L	M	N	D	C	N	N	N
O	L	B	O	I	O	I	A	Y	A	O	O
S	I	M	I	G	B	L	U	C	L	I	G
S	B	I	R	E	I	R	L	I	U	M	R
E	R	U	B	N	L	E	E	B	B	A	U
T	O	G	A	C	E	B	T	O	M	C	O
F	C	V	C	E	U	A	D	N	A	L	F

A
Ambulance
Auto
Automobile

B
Berline
Bicyclette

C
Cabriolet
Camionnette
Car
Carriole
Carrosse
Corbillard

D
Diligence

F
Fourgonnette
(2)

G
Guimbarde

L
Landau
Landaulet

T
Tracteur

V
Van

N° 9
Thème : Montagne
Mot de 6 lettres

K	A	E	P	C	I	T	N	A	L	T	A
C	A	P	I	N	L	O	C	N	I	L	L
O	R	N	O	S	L	I	W	O	B	N	I
R	P	O	C	A	Y	A	L	E	S	O	Z
Y	I	R	P	H	M	O	R	L	S	L	A
E	S	I	I	A	E	T	B	P	A	I	R
N	S	Z	J	T	E	N	E	I	M	S	D
M	I	A	A	D	T	A	J	S	W	P	H
Y	S	B	W	S	N	E	V	U	O	Y	E
H	Y	A	R	U	O	O	R	I	N	R	A
C	R	N	G	E	L	E	E	T	S	G	D
D	H	A	U	L	A	G	I	R	I	O	A

A
Albert-Edward
Api (2)
Atlantic Peak

C
Chymney Rock

D
Dhaulagiri

G
Guna

K
Kanchenjunga

L
Lincoln
Lizard Head

O
Oeta
Orizaba
Ouray

P
Pissis

R
Ritter
Rose

S
Sajama
Siple
Snowmass
Steele

V
Viso

W
Wilson

Y
Yale
Ypsilon

N° 10

Thème : Encre

Mot de 11 lettres

D	E	S	S	E	R	P	T	P	T	L	E
R	S	E	P	E	C	A	L	A	V	I	S
A	T	I	U	E	M	R	C	T	R	Q	R
V	Y	E	N	P	R	H	I	E	I	U	S
U	L	E	O	D	E	U	M	R	B	I	E
B	O	N	G	T	E	I	T	A	E	D	N
P	G	O	O	A	R	L	N	I	E	E	C
L	R	E	M	P	P	S	E	R	R	L	R
U	A	R	M	A	T	H	I	B	I	C	I
M	P	I	E	Y	C	O	E	R	I	L	E
E	H	L	L	A	N	R	U	O	J	L	R
R	E	O	T	E	E	G	A	R	C	N	E

B
Bleue
Buvard

É
Écrire
Écriture
Encrage
Encrier

G
Gomme

I
Imprimerie
Indélébile

J
Journal

L
Lavis
Liquide
Lire (2)

N
Noire

P
Page
Pâté
Plume
Presse

R
Ruban

S
Stylo
Stylographe

T
Tache (2)
Tampon

Nº 11

Thème : Astronomie

Mot de 5 lettres

E	L	C	Y	C	N	R	N	A	D	I	R
O	D	E	B	L	A	O	Z	A	G	E	T
E	C	A	E	S	S	I	Y	E	X	R	C
D	T	C	L	S	M	L	Q	A	O	A	O
U	U	U	U	U	U	U	U	U	U	U	U
T	P	N	T	L	I	E	S	N	O	R	R
I	O	S	I	N	T	N	L	R	E	O	O
N	N	E	O	V	O	A	B	U	H	R	N
G	D	X	N	I	E	I	T	A	B	E	N
A	E	O	R	U	T	R	L	I	M	E	E
M	V	S	R	E	L	O	S	E	O	A	N
A	E	T	I	R	O	E	T	E	M	N	S

A
Albédo
Amas
Aurore
Axe
Azimuts

C
Couronne
Cycle

E
Équinoxe

G
Gaz

H
Halo

L
Lune (2)

M
Magnitude
Météorite

N
Nadir
Nébuleuse
Nova
Noyau

O
Occultation
Onde
Orbite

P
Pulsar

T
Trous noirs

U
Univers

N° 12

Thème : Dénomination honorifique

Mot de 6 lettres

M	N	R	E	I	L	A	V	E	H	C	R
A	A	S	E	R	T	I	A	M	D	E	U
H	T	D	I	R	E	P	E	A	R	M	E
A	L	P	E	R	I	P	R	D	O	I	N
R	U	R	A	M	E	S	I	N	L	N	G
A	S	E	E	D	O	T	S	D	I	E	I
D	C	B	R	B	I	I	S	E	U	N	E
J	B	O	E	E	E	C	S	E	M	C	S
A	N	G	M	U	P	C	H	E	J	E	N
H	U	A	R	T	M	O	D	A	L	A	O
M	D	N	E	R	E	V	E	R	H	L	M
E	E	H	C	R	A	I	R	T	A	P	E

A
Abbé

B
Bégum

C
Chevalier
Comte

D
Dame (2)
Dom
Duc

E
Éminence

L
Lord

M
Mademoiselle
Maharadjah
Maître
Majesté
Messire
Monseigneur
Monsieur

P
Padichah
Patriarche
Père (2)

R
Révérend

S
Sire (2)
Sultan

N° 13
Thème : Chaussure
Mot de 8 lettres

E	C	R	E	I	N	N	O	D	R	O	C
L	O	N	I	S	S	A	C	O	M	S	S
L	T	B	D	E	I	P	N	G	E	E	P
I	H	O	A	C	U	I	R	S	U	L	A
R	U	T	I	B	P	S	S	A	Q	F	R
D	R	T	M	R	O	A	O	B	A	U	T
A	N	E	A	C	D	U	D	O	L	O	I
P	E	C	Q	O	E	E	C	T	C	T	A
S	S	U	G	L	R	I	I	H	L	N	T
E	E	L	U	R	I	U	C	P	E	A	E
O	T	M	E	L	A	D	N	A	S	P	S
N	O	L	A	T	P	E	L	L	O	R	G

B
Babouche
Botte

C
Claque
Cordonnier
Cothurne
Cuir (2)

D
Daim

E
Escarpin
Espadrille

G
Godasse
Grolle

M
Mocassin
Mule

P
Paire
Pantoufles
Pied (2)

S
Sabot
Sandale
Socque
Spartiate

T
Talon

No 14

Thème : Chiens

Mot de 8 lettres

D	R	A	N	R	E	B	T	N	I	A	S
P	S	O	P	A	P	I	L	L	O	N	X
E	H	C	I	N	A	C	E	C	A	R	O
R	D	E	S	O	G	E	T	U	E	M	F
E	A	D	B	T	N	L	O	E	K	P	N
K	N	R	I	O	E	L	R	E	X	O	B
C	O	A	N	V	U	S	X	O	F	I	R
O	I	G	R	O	L	V	S	F	O	N	E
C	S	I	L	E	S	S	I	A	L	T	T
R	E	G	R	E	B	R	I	E	B	E	T
R	L	U	E	N	G	A	P	E	R	R	E
E	U	G	O	D	E	L	U	O	B	S	S

B
Basset
Berger
Bouledogue
Bouvier
Boxer

C
Caniche
Cocker

D
Danois

E
Épagneul (2)

F
Fox (2)

G
Garde
Griffon

L
Laisse
Lévrier
Loulou

M
Meute

O
Os (2)

P
Papillon
Pointer

R
Race

S
Saint-Bernard
Setter

N° 15
Thème : Alcool
Mot de 7 lettres

E	I	T	E	I	V	E	D	U	A	E	S
B	R	V	E	S	S	E	R	V	I	L	R
O	X	I	R	S	I	R	G	R	F	I	U
I	U	L	O	O	A	A	E	A	A	Q	E
S	E	G	U	B	G	L	P	L	R	U	P
S	U	I	E	O	L	N	A	V	E	E	A
O	T	N	I	I	A	M	E	R	R	U	V
N	I	V	T	R	B	S	R	R	V	R	S
F	R	S	A	I	E	E	G	C	I	H	O
E	I	B	C	R	V	R	I	O	N	E	U
D	P	E	T	E	I	R	B	E	E	N	L
E	S	E	M	S	I	L	O	O	C	L	A

A
Alambic
Alcoolisme

B
Bar (2)
Boire
Boisson

D
Distillerie

E
Eau-de-vie
Ébriété
Enivrer

F
Fine

G
Gin
Gris (2)

H
Hic

I
Ivre
Ivresse
Ivrognerie

L
Liqueur

N
Noir

P
Paf

S
Saoul
Soûl
Spiritueux

V
Vapeurs
Verre

Nº 16
Thème : Fromage
Mot de 7 lettres

O	E	M	M	O	T	O	R	A	V	I	L
T	N	A	S	E	M	R	A	P	R	P	E
N	R	A	F	O	N	D	U	E	O	E	C
O	G	E	M	S	U	C	H	N	Q	M	N
H	O	I	B	O	E	E	T	E	U	M	O
C	U	R	G	M	R	L	R	A	E	E	M
O	R	B	D	G	E	E	L	K	F	N	T
L	N	D	E	V	Y	M	A	O	O	T	P
B	A	X	E	U	E	D	A	M	R	H	E
E	Y	Q	R	E	I	R	B	C	T	A	S
R	U	G	R	E	T	S	E	H	C	L	M
E	R	E	C	A	M	T	N	A	U	P	R

B
Brie (2)

C
Camembert
Chester

E
Edam
Emmenthal

F
Fondue

G
Gex
Gouda

Gournay
Gruyère

L
Livarot

M
Marolles

O
Oka

P
Parmesan
Pont-l'Évêque
Puant macéré

R
Reblochon
Romano
Roquefort

S
Septmoncel

T
Tomme

Nº 17

Thème : Froid

Mot de 11 lettres

G	E	E	L	G	N	O	E	V	E	N	E
R	E	S	A	L	G	R	E	V	C	U	E
E	V	L	U	O	Z	N	G	R	Q	D	G
L	E	E	I	E	L	G	E	I	R	E	I
O	N	A	R	F	L	V	F	O	L	T	E
T	R	O	I	A	I	I	N	U	E	F	N
T	I	E	C	H	R	C	R	B	S	R	L
E	S	O	Z	O	O	E	A	F	I	I	E
R	N	N	G	L	A	C	E	T	B	S	G
L	A	I	C	A	L	G	P	R	I	S	E
A	R	B	O	R	I	S	A	T	I	O	N
F	T	E	R	U	D	I	O	R	F	N	N

A
Arborisation

B
Bise (2)

F
Frigorifique
Frileuse
Frisson
Froidure

G
Gel
Gelure
Gélification
Glace
Glacial
Glaçon
Grelotter

H
Hiver

N
Neige
Nord
Névé(2)

O
Onglée

P
Pris

T
Transir

V
Verglas

Z
Zéro (2)

Nº 18
Thème : Fée
Mot de 5 lettres

E	C	N	A	S	S	I	U	P	E	C	S
N	O	E	E	D	O	U	C	E	U	R	E
C	N	F	D	N	N	I	M	E	Q	R	G
H	A	O	G	I	A	R	N	L	I	B	I
A	M	R	R	E	A	I	B	O	G	A	E
N	S	M	A	H	T	I	V	R	A	G	N
T	I	U	C	B	E	U	G	I	M	U	S
E	L	L	E	N	O	N	A	E	V	E	E
M	A	E	F	P	T	S	N	E	S	T	D
E	T	A	E	N	I	O	S	O	B	T	E
N	I	M	O	R	G	A	N	E	B	E	E
T	E	R	T	I	A	R	A	P	P	A	F

A
Aide
Apparaître

B
Baguette
Beauté
Bienfait
Bonne

C
Carabosse
Charme

D
Douceur

E
Enchantement

F
Fée des neiges
Formule

G
Geste
Grâce

M
Magique
Morgane

P
Pouvoir
Puissance

R
Rôle

S
Soin (2)

T
Talisman

V
Viviane

No 19

Thème : Enseignement

Mot de 7 lettres

E	N	O	I	T	C	U	R	T	S	N	I
S	R	U	O	C	E	V	E	L	E	N	R
U	L	I	I	E	L	O	C	E	S	C	U
N	C	B	A	Y	E	E	R	T	E	N	E
I	E	L	C	N	T	V	I	X	M	L	S
V	G	E	G	O	I	T	A	T	O	M	S
E	E	C	N	L	U	M	E	C	L	A	E
R	L	O	A	T	E	V	E	C	P	I	F
S	L	N	R	N	E	E	E	S	I	T	O
I	O	I	E	R	V	I	L	N	D	R	R
T	C	A	B	R	E	I	D	U	T	E	P
E	T	L	U	C	A	F	E	D	U	T	E

A
ABC

B
Bac
Brevet

C
Collège
Cours
Couvent

D
Diplôme

E
École (2)
Élève

Étude
Étudier
Examen

F
Faculté

I
Institutrice
Instruction

L
Leçon
Livre (2)
Lycée

M
Maître

N
Note

P
Professeur

R
Rang

S
Séminaire

U
Université

N° 20

Thème : Céréales

Mot de 9 lettres

N	G	R	L	I	E	T	E	M	E	E	A
O	S	L	I	M	E	O	E	S	S	T	N
S	I	U	A	U	R	G	C	P	M	E	S
P	A	F	Q	G	R	O	O	E	T	L	E
I	M	R	E	O	U	Y	H	U	P	L	I
E	U	O	R	R	R	A	L	G	I	I	G
T	T	M	G	A	N	G	M	T	R	M	L
I	P	E	C	B	S	N	M	I	I	O	E
N	O	N	U	E	R	I	R	U	D	G	S
N	E	T	E	L	B	A	N	I	R	O	E
F	A	R	I	N	E	R	N	S	Z	U	N
E	N	I	O	V	A	G	N	A	R	B	D

A
Amidon
Avoine

B
Blé
Bran (2)

C
Caryopse

D
Dürüm

E
Épi (2)
Escourgeon
Éteule

F
Farine
Froment

G
Gluten
Grain
Gruau

M
Maïs
Méteil
Mil
Millet

O
Orge (2)

P
Piétin

R
Riz

S
Sarrasin
Seigle
Son
Sorgho

T
Tige
Turquet

N° 21
Thème : Œufs
Mot de 8 lettres

E	L	U	O	P	E	T	N	O	P	E	R
N	O	F	D	N	O	I	S	O	L	C	E
I	V	C	U	U	A	E	N	U	A	J	V
M	I	O	H	E	R	C	C	B	E	E	U
U	D	V	L	O	O	I	V	L	R	E	O
B	U	A	B	Q	R	I	U	A	O	Z	C
L	C	L	U	T	T	I	P	N	L	A	P
A	T	E	A	E	D	I	O	C	C	L	O
V	E	C	L	O	V	I	M	N	E	A	N
O	I	L	E	O	D	I	N	I	N	H	D
C	U	U	E	L	L	I	U	Q	O	C	R
S	F	E	T	T	E	L	E	M	O	E	E

B
Blanc

C
Chalaze
Chorion
Cicatricule
Coque
Coquille
Couver

D
Dur

E
Éclore
Éclosion

J
Jaune

N
Nid (2)

O
Œuf(2)
Omelette
Ovalbumine
Ovale
Oviducte
Ovipare

P
Pondre

Ponte
Poule

V
Vitellus

26

N° 22
Thème : Triangle des Bermudes
Mot de 7 lettres

I	N	R	N	I	R	A	M	S	U	O	S
N	N	O	E	C	N	E	L	I	S	E	R
O	L	E	I	U	R	U	E	P	S	S	E
I	E	B	X	V	G	I	N	S	N	E	C
T	I	A	N	P	A	I	A	A	S	H	H
I	C	T	E	C	L	G	V	S	O	T	E
R	D	E	I	O	R	I	E	A	S	O	R
A	A	A	R	A	R	R	C	O	N	P	C
P	N	U	S	E	T	E	L	A	E	Y	H
S	G	S	A	E	N	E	M	U	B	H	E
I	E	U	D	N	I	U	R	V	O	L	S
D	R	E	L	L	I	R	D	A	C	S	E

A
Avion

B
Bateau

C
Ciel

D
Danger
Des Sargasses
Détresse
Disparition

E
Eau
Escadrille

H
Hypothèse

I
Inexplicable

M
Mer

N
Naviguer
Navire

P
Peur (2)

R
Recherches
Rien

S
Silence
Soleil
S.O.S.
Sous-marin

V
Vol

N° 23
Thème : Pêche
Mot de 6 lettres

C	E	H	C	E	U	G	A	R	D	A	M
H	A	S	I	R	O	D	E	G	E	R	D
A	E	N	O	C	E	M	A	H	R	T	D
L	P	T	N	L	R	S	E	N	N	E	D
I	U	F	T	E	A	N	M	T	V	R	S
E	O	O	V	U	A	C	A	O	O	U	L
U	L	L	O	S	L	P	N	G	R	O	A
T	A	L	S	I	P	R	E	A	D	B	N
I	H	E	G	A	R	E	U	C	B	I	C
Q	C	N	T	E	L	I	F	T	H	L	E
U	E	T	E	N	I	L	U	O	M	E	R
E	D	N	O	S	E	D	B	M	O	L	P

A	F	M
Agrès	Filet	Madrague
Appât	Folle	Moulinet

B	G	N
Banc	Gord	Nasse

C	H	P
Canne à pêche	Halieutique	Plomb de sonde
Chaloupe	Hameçon	

D		S
Devon	L	Senne
Doris	Lac	
Drège	Lancer	T
	Libouret	Turlutte
E	Ligne	
Èche		V
		Ver

N° 24
Thème : Literie
Mot de 9 lettres

D	E	T	S	N	I	S	S	U	O	C	C
E	R	S	A	L	E	T	A	M	B	O	H
O	U	A	T	I	N	D	T	T	U	T	O
C	T	Q	P	I	E	I	R	R	I	O	U
A	R	L	I	S	L	S	T	E	N	N	S
T	E	A	Q	P	L	E	L	I	D	E	S
A	V	I	U	N	P	A	R	P	S	O	E
L	U	N	E	O	C	T	I	V	A	S	N
O	O	E	I	R	A	U	I	N	U	R	U
G	C	N	E	I	P	L	U	M	E	O	D
N	T	P	E	L	L	E	N	A	L	F	C
E	T	S	S	R	E	L	L	I	E	R	O

C
Catalogne
Coton
Courtepointe
Coussins
Couverture
Couvre-lit

D
Drap
Draps

E
Édredon

F
Flanelle

H
Housse

L
Laine (2)
Lit

M
Matelas

O
Oreillers

P
Percale
Piqué (2)
Plume

S
Satin

T
Taies (2)
Tissu

Nº 25
Thème : Le temps des fêtes
Mot de 9 lettres

S	A	P	E	R	E	I	T	R	U	O	T
F	L	M	E	T	N	E	S	E	R	P	S
G	E	E	O	R	N	R	E	N	N	A	C
U	E	E	O	U	E	L	U	O	B	V	E
I	E	N	T	N	R	N	I	T	U	L	C
R	R	I	X	R	E	T	O	X	U	O	H
L	B	M	C	U	A	D	I	E	U	T	O
A	M	E	L	R	A	C	E	R	L	O	R
N	E	H	O	E	L	E	O	R	L	L	A
D	C	C	C	N	O	N	D	N	B	E	L
E	E	U	H	N	N	I	P	A	S	R	E
D	D	B	E	E	H	C	E	R	C	G	A

A
Amour
Arbre de Noël

B
Bas
Boule
Bûche

C
Cadeaux
Canne
Carte
Cheminée
Chorale
Cloche
Couronne
Crèche

D
Décembre
Décoration

F
Fée

G
Grelot
Guirlande

H
Houx

L
Lutin

P
Père Noël

Présent

R
Renne (2)
Repas

S
Sapin

T
Tourtière

Nº 26
Thème : Fourrures
Mot de 9 lettres

N	A	K	A	R	T	S	A	R	A	V	T
A	T	N	I	P	A	L	O	L	P	C	A
N	O	S	I	V	Y	T	L	E	E	A	U
O	L	B	T	N	S	I	A	S	A	R	P
H	E	E	X	A	H	U	S	H	O	A	E
C	C	C	C	C	C	C	C	C	C	C	C
N	O	U	N	U	O	A	A	H	I	U	U
A	M	I	I	N	V	N	R	V	A	L	R
M	H	R	S	R	A	A	E	A	E	T	E
C	N	E	A	U	E	T	I	M	C	T	U
N	A	T	G	E	T	I	M	R	S	U	I
S	E	I	R	E	T	E	L	L	E	P	L

A
Astrakan

B
Boa

C
Caracul (2)
Castor
Chat (2)
Chinchilla
Civette
Cuir (2)

E
Écureuil

G
Guanaco

L
Lapin
Lynx

M
Manchon
Mite (2)

O
Ocelot

P
Peau
Pelleteries

R
Ras
Rat

S
Sconse

T
Tan
Taupe

V
Vair
Vison

N° 27
Thème : Famille
Mot de 7 lettres

E	L	C	N	O	P	A	R	E	N	T	E
E	P	E	R	E	M	E	L	L	E	B	R
T	R	R	N	A	M	A	M	I	C	N	E
N	E	E	O	N	O	T	N	O	T	I	M
A	N	R	R	G	A	N	N	O	E	E	D
T	I	D	S	F	E	S	N	R	C	C	N
S	R	N	R	N	A	N	E	E	E	E	A
O	E	E	A	N	I	P	I	H	V	I	R
E	T	G	G	S	O	S	C	T	E	E	G
U	U	U	U	U	U	U	U	U	U	U	U
R	I	O	X	C	O	R	L	O	E	R	T
N	C	R	U	S	S	I	B	E	C	B	E

A
Aïeul

B
Belle-mère
Bru (2)

C
Consanguin
Cousin
Cousins

E
Époux

F
Frère

G
Gars
Gendre
Grand-mère

I
Issu

L
Lit

M
Maman

N
Neveu
Nièce
Noce

O
Oncle

P
Parenté
Père
Progéniture

S
Sœur
Souche

T
Tante
Tonton

U
Utérine

Nº 28
Thème : Vêtement
Mot de 8 lettres

P	E	A	T	I	G	E	E	B	O	R	E
P	R	N	B	R	M	A	L	E	G	O	T
T	I	O	V	U	O	O	N	E	T	C	T
E	C	L	T	E	U	H	T	T	E	A	E
S	S	S	S	S	S	S	S	S	S	S	S
A	O	I	E	C	E	T	L	A	R	Q	S
C	E	U	M	V	A	R	O	C	O	U	U
H	P	I	T	E	C	L	I	N	C	E	A
A	U	O	B	A	H	A	E	C	O	T	H
L	J	U	P	O	N	C	P	C	L	T	C
E	R	U	T	N	I	E	C	E	O	E	N
E	L	O	T	E	M	R	O	F	I	N	U

B
Bas
Blouse

C
Caleçon
Cape
Casquette
Ceinture
Châle
Chaussette
Chemise
Ciré (2)
Col
Corset
Costume

E
Étole

G
Gants

J
Jupe
Jupon

O
Obi (2)

R
Robe

S
Sac

Short
Slip
Soutane

T
Toge

U
Uniforme

V
Veste
Veston

Nº 29
Thème : Meuble
Mot de 8 lettres

E	E	R	I	A	T	E	R	C	E	S	C
C	U	R	E	I	L	E	S	S	I	A	V
S	H	Q	L	I	E	I	A	M	N	C	R
I	F	I	E	A	L	U	B	A	N	E	T
E	T	T	F	H	A	I	P	A	B	R	A
G	N	U	C	F	T	E	B	C	R	I	B
E	O	O	O	O	O	O	O	B	O	O	O
P	E	S	R	U	F	N	I	A	M	M	U
B	A	H	U	T	S	F	N	L	I	R	R
E	R	F	F	O	C	C	R	I	B	A	E
L	V	O	L	T	A	I	R	E	E	I	T
R	U	E	S	I	V	E	L	E	T	R	B

A
Armoire

B
Bahut
Banc (2)
Bar
Ber
Bibliothèque

C
Canapé
Chiffonnier
Coffre (2)
Console

L
Lit

M
Maie
Mobilier

P
Pouf

S
Secrétaire
Siège
Sofa

T
Tabouret

Téléviseur
Trône

V
Vaisselier
Voltaire

Nº 30
Thème : Acteur
Mot de 6 lettres

E	O	I	R	A	S	E	R	P	M	I	E
C	T	H	E	A	T	R	E	L	A	G	T
O	S	X	N	T	R	A	I	R	A	R	S
M	A	T	E	I	P	F	T	N	M	E	I
P	N	S	A	T	T	J	N	E	E	P	N
O	O	E	A	R	O	O	R	T	N	L	O
S	I	L	C	U	S	S	B	C	I	I	G
I	T	O	E	R	S	T	C	A	C	Q	A
T	C	R	E	C	A	R	T	E	C	U	T
I	I	P	E	C	I	N	E	E	N	E	O
O	D	N	E	I	D	E	M	O	C	E	R
N	E	T	E	R	P	R	E	T	N	I	P

A
Acte
Art (2)

C
Cabotin
Ciné
Cinéma
Comédien
Composition

D
Diction

E
Écran

F
Film

I
Imprésario
Interprète

J
Jouer

P
Personnage
Protagoniste

R
Réplique
Rôles

S
Scène (2)
Star

T
Texte
Théâtre
Trac

N° 31
Thème : Aveugle
Mot de 7 lettres

E	L	L	I	A	R	B	N	E	I	H	C
T	A	C	T	E	T	I	C	E	C	A	T
T	X	U	E	Y	R	N	V	I	N	E	A
E	R	N	O	E	I	L	U	N	T	O	T
N	E	N	G	R	O	B	E	I	P	S	O
U	H	O	M	F	N	B	R	A	T	E	N
L	C	T	A	I	L	U	C	G	O	R	N
G	U	A	I	A	C	I	U	R	M	B	E
U	O	B	N	S	T	I	M	E	B	E	M
I	T	C	B	E	D	N	O	I	R	N	E
D	H	O	S	E	R	R	E	V	E	E	N
E	T	T	E	L	G	U	E	V	A	T	T

A
Aveuglette

B
Bâton
Borgne
Braille

C
Canne blanche
Cécité
Chien

G
Guide (2)

L
Lunette

M
Main

N
Noir (2)
Nuit

O
Obscurité
Œil
Ombre
Opacité

T
Tact
Tâtonnement
Ténèbres
Toucher

V
Verres
Vue

Y
Yeux

No 32
Thème : Alpinisme
Mot de 10 lettres

E	N	G	A	T	N	O	M	O	N	T	I
P	R	I	S	E	P	P	A	R	A	V	N
A	R	E	R	U	S	S	I	F	R	P	U
S	I	R	N	O	T	I	P	O	O	E	O
C	H	R	E	D	R	O	C	N	E	S	C
E	C	G	E	C	R	H	E	T	E	C	I
N	N	H	I	H	A	C	E	L	C	A	R
S	A	P	A	S	C	M	O	L	B	L	T
I	R	S	S	U	M	O	O	R	C	A	S
O	F	I	E	O	T	U	R	I	D	D	C
N	E	T	S	I	N	I	P	L	A	E	R
R	I	U	P	P	A	R	I	V	A	R	G

A
Alpiniste
Appui
Ascension

C
Câble
Clou
Corde

E
Escalader

F
Fissure
Franchir

G
Gravir

H
Haut

M
Mont
Montagne

P
Pic (2)
Piton
Prise

R
Rochassier
Rocher

S
S'encorder
Sommet

T
Tricouni

V
Varappe

N° 33
Thème : Automne
Mot de 6 lettres

E	T	L	O	C	E	R	P	L	U	I	E
R	T	N	E	V	D	I	O	R	F	T	G
I	N	O	S	I	A	S	E	F	R	E	L
A	A	C	R	E	L	G	M	O	L	C	A
I	R	E	I	E	R	B	M	E	V	O	N
M	B	R	G	E	E	E	E	N	F	U	M
E	R	T	T	N	L	C	S	A	O	L	O
D	E	A	A	L	H	G	I	F	Y	E	T
N	N	F	I	A	A	T	R	E	E	U	U
E	U	U	S	U	E	F	B	I	R	R	A
V	E	S	T	R	A	P	E	D	S	S	I
F	E	R	O	T	E	E	G	U	O	R	R

A
Arbre nu
Âtre (2)
Automnal

B
Brise

C
Chasse
Ciel gris
Couleurs

D
Départ

F
Fane (2)
Feu

Feuille morte
Foyer
Froid

G
Gel
Gelée

N
Novembre

P
Pluie

R
Récolte
Regret
Rouge et or

S
Saison

V
Vendémiaire
Vent

No 34
Thème : École
Mot de 7 lettres

M	E	R	D	N	E	R	P	P	A	R	S
A	R	E	I	D	U	T	E	B	C	E	R
I	P	E	V	M	E	L	U	L	A	N	I
T	T	A	N	E	U	L	I	I	H	T	O
R	S	S	G	S	L	A	G	R	I	R	V
E	E	E	E	E	E	E	E	E	E	E	E
C	T	R	T	T	G	I	T	L	R	E	D
O	O	I	A	L	L	U	G	V	B	S	I
U	N	R	E	O	D	T	I	N	I	A	U
R	E	C	C	E	R	L	E	D	A	C	T
S	O	E	R	T	I	P	U	P	E	N	E
N	N	O	I	T	A	E	R	C	E	R	T

A
Apprendre

B
Bulletin

C
Cahier
Cours

D
Devoirs

E
Écolier
Écrire
Élève
Enseignant

Étude
Étudier
Étui (2)

G
Guide

L
Leçon
Lire (2)
Livre

M
Maître

N
Notes

P
Page
Pupitre

R
Récréation
Règle
Rentrée

S
Sac

T
Tableau
Test

Nº 35
Thème : Habitation
Mot de 8 lettres

G	O	U	R	B	I	L	E	T	O	H	R
A	N	O	U	A	A	C	M	O	R	L	E
B	B	O	B	P	I	S	L	A	E	T	R
R	S	S	S	F	R	G	T	L	S	O	E
I	I	I	I	I	I	I	I	I	I	I	I
D	M	D	G	T	A	C	S	P	D	T	M
E	E	M	E	O	I	M	A	O	E	E	U
M	M	O	E	M	L	L	T	T	N	H	A
E	O	O	O	U	A	R	U	O	C	U	H
U	H	D	H	I	B	E	T	N	E	T	C
R	C	A	S	T	E	L	T	E	N	T	E
E	R	E	T	Y	B	S	E	R	P	E	E

A
Abri

B
Bastide

C
Castel
Chaumière
Cour

D
Demeure
Domicile
E
Édifice

G
Gîte
Gourbi

H
Home (2)
Hôtel
Hutte

I
Igloo
Immeuble
Isba (2)

L
Logis

M
Maison
Mas

P
Palais

Presbytère
Prison

R
Résidence

T
Tente (2)
Toit

N° 36

Thème : Contenant

Mot de 7 lettres

U	A	E	N	N	O	T	L	U	A	E	S
R	E	N	R	E	T	I	C	U	L	E	C
E	E	C	O	T	R	L	A	C	O	B	H
C	N	E	E	A	O	P	F	E	E	P	A
I	C	T	B	L	A	U	L	F	T	A	U
P	R	U	A	N	L	L	R	A	U	N	D
I	I	I	I	I	I	I	I	I	I	I	I
E	E	E	E	E	E	E	E	E	E	E	E
N	R	N	T	S	C	N	T	B	B	R	R
T	P	U	R	R	S	I	S	U	R	R	E
L	O	B	I	U	O	A	T	U	F	O	E
B	T	N	T	B	C	G	T	A	N	K	C

B
Baril
Bocal
Boîte
Bol
Bouteille

C
Chaudière
Citerne
Corbeille

E
Écrin
Encrier
Étui (2)

F
Fût

G
Gaine

P
Panier (2)
Pot

R
Récipient
Réticule

S
Sac
Seau

T
Taie (2)
Tank
Tasse

Tonneau
Tourie
Tube

U
Urne

No 37
Thème : Serpent
Mot de 10 lettres

R	M	E	X	U	E	M	I	N	E	V	O
A	U	R	L	S	I	F	F	L	E	P	S
R	E	E	E	I	N	R	L	P	H	V	S
B	T	P	T	A	T	E	E	I	M	I	E
O	S	M	J	C	N	P	O	U	N	P	D
C	A	A	A	O	I	G	E	T	D	E	I
R	R	R	R	R	R	R	R	R	R	R	R
O	E	O	D	A	B	A	T	F	A	E	B
T	C	I	P	A	T	O	U	S	D	E	U
A	N	H	J	I	A	E	C	U	N	B	L
L	I	A	E	N	O	H	T	Y	P	O	O
E	N	R	A	D	N	O	C	A	N	A	C

A
Anaconda

B
Boa

C
Céraste
Cobra (2)
Colubridés
Constricteur
Coronelle
Crotale

D
Dard

M
Mue
Muer

N
Naja (2)
Nid

O
Œuf
Ophiographie

P
Python

R
Ramper

Ratier
Reptile

S
Siffle

V
Venimeux
Vipère

N° 38
Thème : À la table
Mot de 8 lettres

E	L	L	E	D	N	A	H	C	A	E	T
H	P	S	E	R	V	I	C	E	L	E	H
O	S	P	C	T	R	V	S	I	I	T	E
R	N	I	A	P	I	E	S	E	S	T	R
S	U	L	F	N	T	N	I	O	U	E	E
D	P	A	E	M	E	R	U	V	J	H	L
O	F	H	E	T	E	C	E	E	A	C	L
E	T	L	S	T	O	N	P	V	O	R	I
U	U	U	U	U	U	U	U	U	U	U	U
V	N	S	P	T	O	O	P	N	T	O	C
R	E	E	T	S	E	E	C	I	E	F	C
E	M	L	E	T	T	E	I	V	R	E	S

C
Café
Chandelle
Coupe
Couteau
Couvert
Cuillère

F
Flûte
Fourchette

H
Hors-d'œuvre

J
Jus

M
Menu (2)

N
Nappe

P
Pain
Plat

R
Ravier

S
Sel
Service
Serviette

Soucoupe
Soupe

T
Thé (2)

U
Ustensile

V
Vin (2)

N° 39

Thème : Instrument de musique

Mot de 7 lettres

E	C	N	E	T	T	E	P	M	O	R	T
N	F	O	O	E	R	T	S	I	S	O	R
I	I	R	N	I	R	E	B	E	C	C	O
L	F	C	U	T	R	U	G	U	M	A	C
O	R	I	I	O	R	E	O	A	O	R	E
D	E	P	T	T	B	E	T	L	T	I	P
N	B	L	I	T	H	M	B	L	L	N	R
A	A	A	A	A	A	A	A	A	A	A	A
M	B	B	N	T	N	A	R	T	S	S	H
L	U	T	H	J	C	O	R	E	R	S	P
T	T	N	O	L	O	I	V	L	Y	R	E
E	E	L	L	E	C	N	O	L	O	I	V

A
Alto (2)

B
Banjo (2)

C
Cithare
Contrebasse
Cor (2)

F
Fifre

H
Harpe

L
Loure

Luth
Lyre

M
Mandoline

O
Ocarina

P
Piano
Psaltérion

R
Rebec

S
Sistre

T
Tambour
Tamtam
Trompette
Tuba (2)

V
Violon
violoncelle

Nº 40
Thème : Diable
Mot de 7 lettres

D	U	E	F	S	R	E	F	I	C	U	L
E	U	Q	A	I	N	O	M	E	D	H	E
M	H	T	U	E	S	P	R	I	T	N	S
O	A	C	E	H	C	E	P	U	E	R	P
N	E	A	E	M	C	C	B	R	E	U	R
P	N	O	H	P	A	E	G	A	L	E	I
O	N	B	E	F	Z	U	D	T	U	T	T
S	E	R	E	L	M	A	D	E	O	A	D
S	H	U	E	E	B	A	O	I	G	T	U
E	E	B	N	F	M	A	L	B	T	N	M
D	G	E	I	N	N	E	I	I	R	E	A
E	T	N	E	P	R	E	S	D	N	T	L

A
Ange déchu

B
Belzébuth
Boa (2)

D
Damné
Démon
Démoniaque
Diable

E
Énergumène
Enfer
Esprit

F
Feu (2)

G
Géhenne
Goule

L
L'esprit du mal
Lucifer

M
Malin
Maudit

P
Péché (2)
Possédé

S
Satan
Serpent

T
Tentateur

No 41
Thème : Autorisation
Mot de 6 lettres

T	D	E	T	R	E	B	I	L	L	N	C
D	N	R	E	D	R	O	C	C	A	O	O
I	R	E	O	S	I	M	D	A	G	I	N
M	I	T	M	I	B	P	K	E	E	S	S
I	T	P	E	I	T	I	C	O	L	S	E
S	N	E	L	F	T	N	E	R	G	I	N
S	E	C	I	I	E	N	E	N	E	M	T
O	S	C	C	C	U	U	E	I	R	R	E
I	N	A	I	M	I	O	V	S	B	E	M
R	O	L	T	I	O	L	S	E	S	P	E
E	C	R	E	D	E	C	C	A	R	A	N
R	E	C	S	E	I	U	Q	C	A	T	T

A
Accéder
Accepter
Accorder
Acquiescer
Admis
Assentiment

B
Bien (2)

C
Consentement
Consentir

D
Dimissoire
Droit

F
Feu vert

L
Légal
Liberté
Licence
Licite
Loi

O
OK
Oui

P
Permission

R
règle

N° 42

Thème : Armure
Mot de 10 lettres

A	M	T	E	R	E	I	T	I	B	U	C
R	T	E	R	E	L	O	S	P	R	G	E
R	N	L	N	E	R	O	T	E	M	R	A
E	O	E	T	T	F	E	E	E	E	E	N
T	R	T	D	C	O	M	D	L	C	V	O
D	T	N	F	A	U	N	L	R	U	E	R
E	S	A	C	A	L	I	N	T	A	E	U
L	A	G	E	E	U	A	S	I	F	B	T
A	L	H	C	O	I	C	S	S	E	O	N
N	P	U	N	T	E	M	R	A	O	R	I
C	R	E	I	S	S	O	D	E	N	T	E
E	G	E	R	E	I	L	U	A	P	E	C

A
Armet (2)
Arrêt de lance

B
Barder

C
Ceinturon
Cubitière
Cuissot

D
Dossier

E
Écu (2)
Épaulière

F
Faucre
Fer (2)

G
Gantelet
Genouillère
Grève

H
Heaume

M
Mentonnière

P
Plastron

S
Salade
Soleret

47

Nº 43
Thème : Chenilles
Mot de 9 lettres

E	T	C	E	S	N	I	L	R	A	P	U
L	S	A	R	A	M	P	E	R	E	N	A
U	E	L	P	N	P	V	P	N	C	O	E
B	G	E	A	O	O	E	I	O	H	I	N
I	M	L	I	R	N	C	D	C	E	T	N
D	E	L	E	T	V	U	O	O	N	A	A
N	N	I	E	I	O	E	P	C	I	T	P
A	T	U	S	M	O	I	T	L	L	P	O
M	S	E	O	L	O	S	E	N	L	E	I
E	N	F	I	E	R	B	R	A	O	R	L
E	I	R	E	L	A	G	E	P	I	N	E
S	D	E	D	I	L	A	S	Y	R	H	C

A
Anneau
Arbre
Arpenteuse

C
Chrysalide
Cocon (2)

E
Échenilloir
Épine

F
Feuille

G
Galerie

I
Insecte

L
Larve
Lépidoptère

M
Mandibule
Mou

N
Nid

P
Poil (2)

R
Ramper
Reptation

S
Segment
Soie (2)

V
Ver

Nº 44
Thème : Écriture
Mot de 10 lettres

O	L	Y	T	S	O	N	O	Y	A	R	C
O	E	G	R	A	M	L	N	O	T	E	R
R	T	E	N	R	A	C	Y	O	S	E	S
T	I	N	E	E	N	I	M	T	T	E	G
H	U	G	N	I	A	V	I	R	C	E	N
O	A	I	C	H	A	T	A	R	M	A	R
G	E	L	R	A	S	C	E	U	P	P	D
R	L	E	E	C	A	T	L	I	A	C	I
A	B	T	I	R	A	P	Y	G	P	B	C
P	A	T	A	I	I	R	E	L	I	A	T
H	T	R	R	E	L	L	I	U	E	F	E
E	E	E	C	O	L	E	R	I	R	C	E

A
ABC

C
Cahier
Carnet
Carte
Craie
Crayon

D
Dactylo
Dictée

E
École
Écrire
Écrivain
Encre

F
Feuille

L
Lettre
Ligne
Lire

M
Marge
Mine

N
Noter (2)

O
Orthographe

P
Page
Papier
Plume

S
Secrétaire
Style
Stylo

T
Tableau

N° 45
Thème : Jeu de société
Mot de 8 lettres

S	K	J	T	U	T	D	Y	R	J	M	S
C	S	E	M	A	D	L	E	O	I	I	E
E	I	T	R	B	O	N	U	S	O	L	T
H	R	O	I	P	P	R	E	J	N	L	R
C	T	N	O	I	D	H	E	P	I	E	A
E	G	N	S	E	C	T	M	B	M	B	C
O	O	T	P	R	O	I	I	I	O	O	C
M	O	A	A	N	C	O	R	N	D	R	T
N	Y	P	S	R	G	L	P	G	A	N	P
E	S	E	D	E	D	P	U	O	C	E	D
K	N	U	L	P	R	E	K	E	C	S	E
N	O	I	T	A	V	A	R	G	G	A	S

A
Aggravation

B
Bingo (2)

C
Cartes
Clue
Coup de dés

D
Dames
Dés (2)
Domino

E
Échecs

G
Go

J
Jeton
Jetons
Jour de paye

K
Ker plunk

M
Mille bornes
Monopoly

P
Parchési
Pendu

Piston
Prime
Probe

R
Risk

T
Tarot

N° 46
Thème : Défaut
Mot de 8 lettres

I	X	U	E	I	R	U	C	M	M	M	I
R	B	U	B	I	T	N	E	L	A	T	V
U	U	E	E	A	N	C	E	L	L	N	R
S	T	E	R	I	H	S	H	L	I	A	O
E	A	G	T	A	V	O	A	U	E	E	G
N	N	N	N	N	N	N	N	N	N	N	N
I	I	T	S	N	E	V	E	O	E	I	E
A	C	L	E	C	T	M	O	R	C	A	R
I	I	T	A	O	O	L	E	L	A	F	I
S	E	V	I	M	Z	E	R	O	E	V	E
O	E	D	N	A	M	R	U	O	G	U	A
T	I	X	U	E	S	S	E	R	A	P	R

A
Aliéné
Avare

B
Bête

C
Cave
Con
Curieux

E
Envieux

F
Fainéant

G
Gourmand

I
Idiot
Ingrat
Insane
Ivrognerie

L
Lent

M
Malhonnête
Malin
Méchant
Menteur

N
Niais
Nul

P
Paresseux

R
Rusé

S
Sans-cœur
Sot

V
Voleur

Z
Zéro

N° 47
Thème : Langage
Mot de 7 lettres

T	I	B	E	D	T	N	E	C	C	A	N
B	E	R	I	A	L	U	B	A	C	O	V
N	I	U	O	G	A	R	A	B	I	A	J
R	E	L	L	I	B	A	B	S	A	I	A
E	D	L	R	T	J	V	S	L	P	B	S
B	I	C	O	A	E	E	A	A	H	A	E
R	R	R	R	R	R	R	R	R	R	R	R
E	E	G	V	P	A	G	M	O	A	A	E
V	O	O	X	T	O	P	M	E	S	H	L
N	I	E	O	T	L	A	R	O	E	C	R
X	D	N	R	E	L	U	C	I	T	R	A
N	O	I	T	U	C	O	L	E	E	S	P

A
Accent
Argot
Articuler

B
Babiller
Baragouin

C
Charabia
Cri

D
Débit
Dire

E
Élocution

Expression

J
Jargon
Jaser

M
Mots

O
Oral (2)

P
Parler
Parole
Phrase

T
Terme

Ton

V
Verbe
Vocabulaire
Voix

N° 48
Thème : Esclavage
Mot de 10 lettres

R	E	T	I	L	I	V	R	E	S	C	A
S	I	S	E	E	T	I	N	N	U	O	E
E	E	H	G	H	E	R	O	O	E	N	R
C	R	A	C	B	C	R	A	N	I	T	T
N	G	C	O	N	R	R	C	V	R	R	I
A	A	A	A	A	A	A	A	A	A	A	A
D	S	P	M	P	N	R	V	M	E	I	M
N	T	T	F	J	T	A	F	S	E	N	L
E	U	U	E	F	U	I	O	F	R	T	T
P	L	R	R	X	T	P	F	I	A	E	R
E	E	E	S	S	E	R	V	I	L	E	F
D	S	R	E	L	U	D	O	R	E	I	H

A
Affranchir

C
Captif
Capturer
Contrainte

D
Dépendance

E
Encan
Ergastule
Ésope

F
Fers (2)

G
Gage

H
Hiérodule

M
Maître
Marché
Marron

N
noir

O
Obéir

S
Serf
Servile
Servilité

T
Travail
Travaux

N° 49
Thème : Escalier
Mot de 8 lettres

T	E	T	N	O	C	A	M	I	L	O	C
N	E	R	D	N	E	C	S	E	D	C	O
E	T	A	G	E	R	R	A	C	R	R	N
M	P	P	O	E	G	A	C	E	U	O	T
E	R	M	A	R	D	O	M	E	E	T	R
H	A	V	A	L	U	A	R	L	N	A	E
C	N	O	N	R	I	F	L	A	O	L	M
R	C	L	B	L	F	E	C	V	R	A	A
A	H	E	L	I	H	N	R	A	I	C	R
M	E	E	H	C	R	A	M	T	G	S	C
M	R	C	E	L	A	R	I	P	S	E	H
E	E	D	A	R	T	S	U	L	A	B	E

B
Balustrade

C
Cage (2)
Carré
Colimaçon
Contremarche
Courbe
Crémaillère

D
Degré
Descendre

E
Échelle

Échiffre
Emmarchement
Escalator
Étage

G
Giron

M
Marche

P
Palier

R
Rampe
Rancher

S
Spirale

V
Vis
Volée

N° 50
Thème : Éclairage
Mot de 6 lettres

E	R	A	H	P	B	O	U	G	I	E	E
P	E	R	E	H	C	R	O	T	N	R	C
M	V	R	S	X	U	L	T	O	E	I	N
A	E	L	B	O	C	O	E	I	F	A	E
L	R	A	L	A	N	L	R	L	D	C	C
U	B	N	A	A	L	E	U	R	A	A	S
M	E	A	F	U	D	E	I	T	M	P	E
I	R	F	S	N	U	E	D	L	B	M	R
E	E	T	A	L	N	O	E	N	E	A	O
R	R	H	E	N	R	E	T	N	A	L	U
E	C	E	L	U	O	P	M	A	U	C	L
T	N	E	C	S	E	N	I	M	U	L	F

A
Ampoule

B
Bougie

C
Candélabre
Chandelier

F
Falot
Fanal
Flambeau
Fluorescent

L
Lampadaire
Lampe
Lanterne
Lueur
Lumière
Luminescent
Lustre
Lux

N
Néon (2)

P
Phare

R
Réverbère

S
Soleil

T
Torchère

N° 51
Thème : Épée
Mot de 6 lettres

E	N	A	S	I	U	T	R	E	P	E	R
D	R	N	O	D	A	P	S	E	M	E	N
R	A	O	C	O	T	S	E	A	L	B	O
A	P	S	M	L	I	F	L	L	E	R	C
B	I	E	A	Y	L	Y	I	F	T	A	A
E	E	N	B	B	A	A	R	E	T	Q	M
L	R	I	E	T	R	L	N	R	A	U	A
L	E	A	A	R	T	E	C	C	L	E	R
A	T	G	E	E	E	E	P	E	E	M	T
H	A	F	L	E	U	R	E	T	M	A	S
N	E	G	R	E	B	M	A	L	F	R	E
E	V	I	A	L	G	D	U	E	L	T	A

A
Arme

B
Braquemart

C
Claymore

D
Duel

E
Épée
Espadon
Estoc
Estramaçon

F
Fer
Ferrailler
Fil
Flamberge
Fleuret

G
Gaine
Glaive

H
Hallebarde

L
Lame
Lance

Latte

P
Pertuisane

R
Rapière

S
Sabre

Y
Yatagan

N° 52
Thème : Calendrier
Mot de 7 lettres

E	D	I	D	E	M	A	S	E	I	M	J
R	E	I	H	I	D	E	R	D	N	E	V
B	C	S	R	A	M	B	N	E	U	R	D
M	E	O	T	F	M	U	N	D	S	C	I
E	M	E	C	E	L	U	I	T	E	R	M
V	B	E	T	T	L	M	U	U	M	E	A
O	R	P	L	E	O	L	J	O	A	D	N
N	E	M	J	I	L	B	I	A	I	I	C
S	R	A	S	U	R	L	R	U	N	A	H
M	U	R	V	R	I	V	I	E	E	M	E
A	O	D	E	E	N	N	A	U	S	F	I
I	J	I	R	E	I	V	N	A	J	E	R

A
Année
Août
Avril

D
Date
Décembre
Dimanche

F
Feuille

H
Hier

J
Janvier

Jeudi
Jour
Juillet
Juin (2)

L
Lundi
Lune

M
Mai (2)
Mardi
Mars
Mercredi
Mois

N
Novembre

O
Octobre

S
Samedi
Semaines
Septembre

V
Vendredi

Nº 53
Thème : Cinéma
Mot de 10 lettres

E	R	O	N	O	S	E	T	S	I	P	A
R	U	E	T	C	A	C	P	E	M	E	R
I	E	E	N	I	C	R	G	A	R	U	E
M	D	G	T	P	M	A	V	F	K	V	M
P	A	A	O	T	T	N	I	J	I	E	A
R	C	M	E	N	E	G	C	R	N	D	C
E	S	I	O	F	U	D	O	N	E	E	T
S	A	M	I	R	S	L	E	U	S	S	R
A	C	L	A	T	E	S	T	V	C	I	I
R	M	N	A	I	O	L	U	N	O	R	C
I	T	R	E	N	R	U	O	T	P	P	E
O	I	R	A	N	E	C	S	R	E	O	N

A
Acteur
Actrice

C
Caméra
Cascadeur
Ciné

E
Écran

F
Figurant
Film

I
Image
Imprésario

K
Kinescope

M
Montage

N
Nu (2)

P
Piste sonore
Prise de vue

R
Rôle(2)

S
Scénario
Son
Star

T
Tourner

V
Vamp (2)
Vedette

Nº 54
Thème : Campagne
Mot de 8 lettres

E	R	U	T	L	U	C	E	O	L	I	S
E	P	M	A	H	C	G	F	I	E	P	L
I	M	R	U	R	A	L	A	R	O	A	E
R	A	E	R	R	E	T	P	R	R	R	R
I	H	R	U	F	E	R	C	U	E	A	U
A	C	T	O	B	E	M	R	M	M	T	E
R	A	I	O	C	E	N	R	I	E	O	T
P	N	E	O	R	E	R	A	E	S	I	C
E	U	L	R	U	A	E	V	I	F	R	A
F	T	E	R	U	D	R	E	V	S	E	R
E	T	R	E	V	I	T	L	U	C	O	T
S	O	L	C	N	E	G	N	A	R	G	N

A
Aratoire

B
Bétail
Bœuf

C
Champ (2)
Cultiver
Culture

E
Enclos

F
Fenaison

Ferme
Foin

G
Grange

P
Pâturage
Porc
Prairie
Pré

R
Récolte
Rural (2)

S
Semer
Silo

T
Terre (2)
Tracteur

V
Veau
Verdure

N° 55
Thème : Jouets
Mot de 7 lettres

B	D	S	E	T	T	E	H	C	E	L	F
I	N	I	A	R	T	E	S	U	T	Q	E
L	T	R	A	I	N	E	E	B	T	C	R
L	U	E	A	B	E	P	B	E	E	A	U
E	I	U	H	P	O	E	U	S	N	M	T
S	T	N	U	C	N	L	C	R	N	I	I
O	O	O	O	O	O	O	O	O	O	O	O
D	P	L	I	L	U	H	U	B	I	N	V
A	E	V	D	R	L	T	L	O	R	Y	S
R	A	S	S	A	I	A	L	T	A	O	R
D	R	A	I	L	T	E	B	S	M	Y	U
S	E	T	E	T	E	S	S	A	C	O	O

A
Auto
Avion

B
Ballon
Billes

C
Camion
Casse-tête
Cubes (2)

D
Dards
Dés
Diabolo

E
Épée

F
Fléchettes

H
Hochet

M
Marionnette

O
Ours (2)
Outil

P
Poupée

R
Rail
Robot

S
Soldats

T
Train (2)

V
Voiture

Y
Yoyo

Nº 56
Thème : Pierre précieuse
Mot de 10 lettres

P	E	T	S	Y	H	T	E	M	A	E	A
I	T	O	P	A	Z	E	R	U	D	N	I
E	U	O	C	H	E	T	S	A	C	I	G
R	R	S	U	L	R	I	J	A	E	T	U
R	Q	A	A	R	B	H	L	D	O	N	E
E	U	P	Y	U	M	C	U	P	S	E	M
D	O	H	R	P	E	A	A	O	D	P	A
E	I	I	U	D	R	L	L	A	X	R	R
L	S	R	O	E	E	A	J	I	Y	E	I
U	E	I	M	L	I	M	T	E	N	S	N
N	N	E	N	I	R	T	I	C	O	E	E
E	I	L	U	Z	A	L	S	I	P	A	L

A
Aigue-marine
Améthyste

C
Calcédoine
Citrine

D
Dure

E
Émeraude

J
Jade (2)

L
Lapis lazuli

M
Malachite

O
Onyx
Opale (2)

P
Pierre de lune
Pure

R
Rubis

S
Saphir
Serpentine

T
Topaze
Tourmaline
Turquoise

N° 57
Thème : Bandes dessinées
Mot de 5 lettres

E	P	E	C	U	P	T	E	G	I	Z	T
L	E	K	U	L	Y	K	C	U	L	A	M
K	A	P	O	Z	O	B	X	H	H	I	N
N	N	O	E	Z	T	I	L	C	C	B	E
I	U	O	O	I	R	A	E	K	E	E	I
W	T	B	N	E	G	L	E	T	K	C	H
E	S	T	T	A	X	Y	T	O	A	A	C
I	I	S	F	I	M	Y	R	C	R	S	E
N	A	F	L	O	G	T	E	I	D	S	L
N	E	E	U	R	A	B	A	B	N	I	F
I	F	S	P	I	R	O	U	B	A	N	I
W	E	E	D	I	D	N	A	C	M	E	P

A
Astérix

B
Babar
Batman
Bécassine
Betty
Bicot
Boop
Bozo (2)

C
Candide

F
Félix le chat

L
Lagaffe
Lucky Luke

M
Mandrake
Mickey Mouse

P
Peanuts
Pif le chien

S
Spirou

T
Tintin

W
Winnie Winkle

Z
Zig et Puce

No 58
Thème : Doigts
Mot de 5 lettres

E	G	R	E	T	U	N	A	M	E	E	A
T	S	U	I	D	E	M	E	C	L	U	E
T	E	E	L	G	N	O	U	Y	R	D	R
E	E	C	U	O	P	O	T	I	D	I	I
G	G	C	M	G	P	C	C	P	I	G	A
N	A	N	N	E	A	U	X	I	X	I	L
A	N	O	M	D	L	B	I	E	O	T	U
L	T	J	Y	A	P	E	D	D	R	A	N
A	S	L	I	I	J	N	C	O	T	L	N
H	O	R	E	P	I	E	C	N	E	A	A
P	E	D	U	A	N	E	U	Q	I	H	C
R	E	I	T	G	I	O	D	R	L	P	N

A
Anneau
Annulaire
Auriculaire

B
Bague

C
Chiquenaude
Cor

D
Digital
Dix (2)
Doigtier

G
Gants

I
Index

J
Jonc

M
Majeur
Manuterge
Médius

O
Onglée
Orteil

P
Phalangette
Pied (2)
Pince
Polydactyle
Pouce (2)

N° 59
Thème : Fleur
Mot de 11 lettres

T	E	L	L	I	E	O	P	T	A	R	E
P	J	I	X	I	A	O	O	X	A	M	E
S	A	L	I	L	M	V	E	H	E	G	M
H	C	A	A	P	A	E	P	H	L	J	U
E	I	S	O	P	S	U	T	A	U	O	I
N	N	N	N	N	N	N	N	N	N	N	N
I	T	I	E	E	A	T	I	L	I	Q	A
O	H	P	N	S	I	M	I	E	R	U	R
V	E	E	Y	N	S	S	O	N	G	I	E
I	A	R	E	A	S	I	R	I	U	L	G
P	H	M	J	E	L	U	E	I	A	L	G
C	E	H	C	N	E	V	R	E	P	E	E

A
Axe

C
Chrysanthème

E
Églantine
Épi

G
Géranium
Glaïeul

I
Inule (2)
Iris
Ixia

J
Jacinthe
Jasmin
Jonquille

L
Lilas (2)
Lis

N
Nénuphar

O
Œillet

P
Pavot
Pensée
Pervenche

Pivoine
Pompon

N° 60
Thème : Mollusque
Mot de 9 lettres

O	O	E	S	S	I	V	O	L	C	L	E
R	A	R	T	E	R	A	T	B	N	I	N
E	L	T	M	I	C	O	N	E	E	T	I
I	U	I	Y	E	G	N	T	G	P	H	A
L	D	U	E	R	A	C	O	M	L	O	L
L	A	H	A	C	E	U	U	Y	U	D	E
E	R	C	R	P	A	R	P	E	O	O	C
D	S	E	R	N	E	L	V	I	P	M	R
E	N	O	C	X	E	A	M	U	N	E	O
M	E	H	C	I	E	S	U	A	E	N	P
E	D	I	T	O	I	L	A	H	R	I	E
R	E	N	G	I	E	P	E	L	R	E	P

C
Calmar
Clovisse
Cône

E
Escargot

H
Haliotide
Huître

L
Lithodome

M
Murex
Mye (2)

N
Nacre

O
Oreille de mer
Ormeau

P
Pecten
Peigne
Perle
Pieuvre
Pinne
Porcelaine
Poulpe

R
Radula

S
Seiche

T
Taret

N° 61
Thème : Mouche
Mot de 9 lettres

E	N	O	R	E	H	C	U	O	M	E	O
S	L	E	I	L	I	C	U	L	M	R	R
U	B	I	B	I	O	N	V	R	N	I	E
E	T	S	H	A	I	L	E	O	E	S	N
N	A	S	T	P	S	D	A	S	R	T	N
N	C	Y	I	O	O	T	Y	P	T	A	O
O	H	R	L	P	M	R	I	A	S	L	D
B	I	P	Y	O	P	O	E	C	E	E	R
R	N	H	R	H	V	I	X	T	O	T	U
A	A	E	E	E	E	S	T	E	S	T	O
H	E	L	L	E	C	U	L	O	V	A	B
C	P	U	P	E	N	I	S	S	O	L	G

A
Aile
Asticot

B
Bibion
Bourdonner

C
Charbonneuse

E
Éristale

G
Gastérophile
Glossine

H
Hypoderme

L
Lucilie

M
Moucheron

O
Œstre

P
Pupe

S
Stomoxe
Syrphe (2)

T
Tachina
Taon
Tsé-tsé

V
Vol
Volucelle

Nᵒ 62
Thème : Main
Mot de 10 lettres

R	I	D	U	A	L	P	P	A	G	P	N
E	N	I	A	T	I	M	S	N	O	O	M
L	I	I	G	T	E	N	I	R	H	I	A
U	T	C	A	L	R	O	M	C	E	G	N
P	A	B	N	M	P	A	N	U	T	N	U
I	P	O	T	A	N	A	N	G	A	E	E
N	E	X	S	U	M	P	I	E	T	E	L
A	R	E	C	C	L	O	A	T	H	F	I
M	I	U	F	A	D	L	R	U	A	T	G
E	R	E	C	R	I	R	E	I	M	P	N
E	C	R	E	P	L	A	P	T	H	E	E
E	E	R	R	E	T	T	A	L	F	C	S

A
Applaudir

B
Boxe

C
Cal (2)
Carpe
Chiromancie

D
Doigt

E
Écrire (2)

F
Flatter

G
Gants

L
Lignes

M
Main
Manchon
Manipuler
Manucure
Manuel
Mitaine

P
Palper
Paume
Poignée
Poing

T
Tape (2)
Tâte
Tenir
Thénar

N° 63
Thème : Montagne
Mot de 6 lettres

E	N	R	O	M	N	R	I	A	C	D	N
E	G	E	R	E	L	L	I	D	R	O	C
H	S	A	E	T	N	E	P	A	T	E	A
C	V	C	P	I	C	A	N	I	E	R	I
N	O	A	A	L	D	G	P	P	M	T	G
A	L	B	C	R	A	H	A	I	M	S	U
L	C	U	E	T	P	O	E	C	O	E	I
A	A	T	N	O	M	E	M	N	S	P	L
V	N	O	E	R	I	V	M	B	G	L	L
A	M	S	O	U	L	A	N	E	R	A	E
N	O	I	T	A	V	E	L	E	N	E	F
I	E	N	I	A	R	O	M	N	E	T	E

A
Adret
Aiguille
Alpage
Alpestre
Avalanche

C
Cairn
Cordillère

E
Élévation
Escarpement

F
Fagne

M
Mont
Montagnard
Moraine
Morne

O
Ombrée

P
Pente
Pic (2)
Piton

S
Sommet
Soulane

U
Ubac

V
Vire
Volcan

N° 64
Thème : Humeur
Mot de 8 lettres

E	T	N	A	I	F	E	M	F	I	V	E
T	H	N	O	N	G	O	R	G	T	L	U
I	A	C	F	L	R	A	U	A	B	U	Q
L	R	C	O	O	A	R	C	I	O	N	I
I	G	M	S	N	R	I	T	F	C	A	L
B	N	E	A	U	T	P	V	H	H	T	O
I	E	E	O	U	E	E	A	O	E	I	C
C	U	B	R	C	S	G	N	M	J	Q	N
S	X	N	S	E	R	S	G	T	E	U	A
A	E	U	G	I	I	F	A	C	H	E	L
R	S	A	N	V	I	F	I	D	U	S	E
I	I	E	L	G	E	I	P	S	E	E	M

B
Bourru

C
Chagrine
Content

E
Espiègle

F
Fâché
Fière
Fou

G
Gai (2)
Grognon

H
Hargneux

I
Irascibilité

J
Jovial

L
Lunatique

M
Maussade
Méfiante
Mélancolique
Morose

P
Pâmé

S
Susceptible

T
Taciturne

V
Vif (2)

N° 65
Thème : Étoile
Mot de 7 lettres

E	S	A	G	E	P	C	E	P	H	E	E
S	E	R	A	T	N	A	L	E	I	C	A
U	T	N	E	M	A	M	R	I	F	L	L
E	B	E	U	P	O	C	O	M	U	E	D
G	R	D	L	A	U	R	I	M	D	R	E
L	I	A	V	L	E	R	I	U	L	I	B
E	L	R	E	N	A	N	T	O	A	G	A
T	L	O	G	T	O	I	R	L	N	E	R
E	A	D	A	S	N	V	R	U	O	L	A
B	N	L	I	G	I	R	A	E	O	U	N
E	C	T	A	S	U	I	R	I	S	F	P
E	E	M	X	I	R	T	A	L	L	E	B

A
Aldébaran
Antarès

B
Bellatrix
Bételgeuse
Brillance

C
Céphée
Ciel

D
Dorade

E
Éclat

F
Firmament
Fourneau

H
Hercule

L
Loup
Luminosité

M
Magnitude
Mira

N
Nova

O
Orion

P
Pégase

R
Rigel

S
Sirius
Stellaire

V
Véga

N° 66
Thème : Roche
Mot de 11 lettres

H	E	U	Q	I	N	A	C	L	O	V	C
T	R	S	E	R	G	N	E	N	R	M	R
A	E	M	I	R	O	C	H	E	A	C	I
P	C	A	S	I	U	S	C	G	S	B	S
S	I	A	V	E	C	I	M	X	I	E	T
D	F	U	I	E	F	A	H	E	A	T	A
L	L	L	L	L	L	L	L	L	L	L	L
E	I	B	G	I	L	I	S	I	T	A	L
F	A	R	G	C	A	O	G	S	U	S	I
S	E	N	T	I	O	E	U	R	F	A	N
S	E	E	S	U	E	R	O	P	A	B	E
E	R	I	A	T	N	E	M	I	D	E	S

A
Argile

B
Banc
Basalte

C
Caillou
Cristalline

E
Écueil
Éluvion

F
Feldspath

G
Grès (2)

I
Ignée

L
Liais

M
Magma

P
Poreuse

R
Récif (2)
Roc
Roche

S
Sable
Sédimentaire
Sial (2)
Silex

T
Tuf

V
Volcanique

Nº 67
Thème : Avion
Mot de 8 lettres

E	A	L	O	V	E	E	T	T	A	B	A
N	V	O	L	E	R	H	H	E	A	T	R
A	I	P	E	O	A	C	G	R	T	E	M
L	A	R	A	U	V	A	I	E	D	L	O
P	T	E	T	L	L	M	R	A	E	O	N
O	I	D	O	L	E	R	W	T	P	R	O
R	O	A	O	S	I	L	S	H	P	T	M
E	N	C	C	S	P	I	E	O	I	N	O
A	E	A	S	I	P	L	R	V	L	O	T
D	L	A	S	A	I	L	E	S	O	C	E
E	G	T	E	C	A	L	R	R	T	N	U
E	E	T	E	S	T	T	F	T	E	J	R

A
Abattée
Ader (2)
Aéroplane
Ailes
Atterrissage
Aviation

C
Contrôle

D
Décollage

E
Élevon
Escale

F
Frères Wright

H
Haut
Hélice

J
Jet

L
Lacet

M
Mach
Monomoteur

P
Pale
Pilote
Piste (2)

T
Test

V
Vol (2)
Voler

N° 68

Thème : Avarice

Mot de 5 lettres

R	E	I	R	U	S	U	R	I	E	R	T
L	R	A	T	E	I	R	E	R	D	A	L
I	A	E	T	I	D	I	V	A	I	G	P
A	V	E	U	H	U	V	P	P	R	E	A
R	A	M	O	T	C	R	A	I	R	T	R
D	E	O	C	A	E	R	P	A	C	I	C
E	D	N	C	M	P	P	D	E	H	D	I
R	I	O	I	E	E	I	R	O	I	I	M
A	D	C	S	S	N	T	N	N	E	P	O
P	R	E	O	S	E	T	A	G	N	U	N
R	O	U	U	E	A	L	S	R	R	C	I
E	S	L	S	F	C	R	A	S	S	E	E

A
Âpre (2)
Avare
Avidité

C
Cents
Chien
Coût
Crasse
Cupidité

E
Économe
Écu

F
Fesse-mathieu

G
Grippe-sou

L
Ladrerie
Lésiner
Liarder

O
Or

P
Parcimonie
Pingre

R
Radin
Rapiat
Rat (2)

S
Sordide
Sous

U
Usurier (2)

No 69
Thème : Arme
Mot de 8 lettres

M	T	E	S	U	B	E	U	Q	R	A	M
E	I	E	D	R	A	B	E	L	L	A	H
T	C	T	L	A	E	V	R	L	S	E	E
L	I	Z	R	O	I	P	P	S	F	P	E
U	M	C	A	A	T	O	E	V	E	I	E
P	E	P	L	G	I	S	E	E	O	E	R
A	T	G	I	G	O	L	I	L	L	U	B
T	E	I	N	Q	B	Z	L	P	L	V	A
A	R	A	R	E	U	I	A	E	F	A	S
C	R	C	O	T	S	E	R	G	T	E	B
D	E	T	E	U	Q	S	U	O	M	T	R
U	C	E	F	E	L	I	S	S	I	M	E

A
Arc
Arquebuse

B
Balle

C
Catapulte
Cimeterre

E
Écu
Épée (2)
Épieu
Estoc

F
Fer
Fusil

G
Gaz (2)
Glaive

H
Hallebarde

M
Masse
Missile
Mitraillette
Mousquet

O
Obus

P
Pique
Pistolet
Poignard

R
Rifle

S
Sabre

T
Tir

N° 70
Thème : Bois
Mot de 7 lettres

R	E	I	R	D	A	M	P	R	O	L	E
E	H	C	U	O	S	B	L	I	F	I	C
P	E	V	E	S	R	C	U	D	L	B	R
A	E	E	M	A	R	E	N	C	T	E	O
U	S	P	N	S	R	U	D	O	H	R	C
B	E	C	I	T	Y	U	L	R	R	E	E
I	H	B	I	N	E	L	D	D	A	T	R
E	C	I	T	E	I	R	V	E	R	E	O
R	N	F	I	B	R	E	O	E	B	N	N
E	A	R	E	B	I	L	R	F	R	E	D
T	L	E	E	N	I	E	V	E	E	B	I
S	P	R	E	N	I	C	S	A	F	E	N

A
Arbre
Aubier

B
Billot
Branche
Bûche

C
Corde

D
Dur (2)

E
Ébène
Écorce

F
Fascine
Fibre
Fil
Forêt

L
Liber (2)

M
Madrier

P
Pépinière
Pile
Planche

R
Ramée

Rôle
Rondin

S
Scie
Sève
Souche
Stère
Sylve

T
Tronc

V
Veine

Nº 71
Thème : Manger
Mot de 10 lettres

E	S	I	D	N	A	M	R	U	O	G	R
E	U	Q	I	N	E	U	Q	I	P	E	S
N	O	H	C	N	U	L	B	M	V	A	R
U	N	E	M	O	U	O	E	E	P	S	E
R	R	E	G	A	L	T	I	E	N	T	S
R	E	P	U	O	S	L	R	R	U	R	T
G	N	N	R	E	L	B	A	T	T	E	A
O	U	U	I	O	S	U	O	T	R	V	U
U	E	I	N	D	S	F	I	L	I	U	R
T	J	N	T	E	E	F	U	D	T	O	A
E	E	A	L	I	M	E	N	T	I	C	N
R	D	R	E	N	I	T	S	E	F	M	T

A
Aliment

B
Bol (2)
Buffet

C
Collation
Couverts

D
Déjeuner
Dîner

F
Festin

G
Gourmandise
Goûter

L
Lunch

M
Menu (2)
Mess
Mets
Midi

N
Nutritif

P
Pique-nique

R
Régal
Repas
Restaurant
Réveillonner

S
Souper

T
Table

Nº 72
Thème : Magasin
Mot de 8 lettres

E	S	I	D	N	A	H	C	R	A	M	N
I	V	E	G	A	L	A	T	E	R	O	R
T	F	E	X	I	R	P	V	E	I	A	C
N	A	E	N	M	P	I	I	T	Y	R	L
A	C	A	S	T	T	N	C	O	E	I	V
R	T	A	S	R	A	A	N	D	C	O	E
A	U	O	I	P	F	I	I	E	I	T	N
G	R	N	T	S	X	T	R	T	V	P	D
G	E	T	I	O	S	I	C	E	R	M	E
D	E	T	A	I	L	E	O	A	E	O	U
E	A	R	T	I	C	L	E	H	S	C	S
S	I	A	B	A	R	T	A	H	C	A	E

A
Achat
Article

C
Caisse
Choix
Comptoir
Crédit

D
Détail

E
Étalage
Éventaire

F
Facture

G
Garantie
Gros

L
Lot

M
Marchandise

P
Panier
Prix

R
Rabais
Rayon

S
Sac (2)
Satisfaction
Service

V
Vendeuse
Vitrine

N° 73
Thème : Boire
Mot de 7 lettres

L	R	T	S	A	O	T	E	T	I	N	E
O	A	E	S	S	A	T	U	R	O	E	I
O	R	P	T	V	E	A	L	R	V	P	R
C	A	N	E	E	E	T	E	I	A	I	E
L	B	R	R	R	T	B	O	I	E	T	V
A	N	R	S	M	I	V	L	B	O	I	U
E	E	O	E	B	A	L	I	R	I	V	E
V	I	I	S	U	E	M	T	N	I	R	B
F	R	A	B	S	V	S	E	P	U	O	C
L	E	T	O	H	I	A	O	L	V	G	N
E	R	V	I	B	R	O	G	I	L	N	E
T	E	R	A	B	A	C	B	E	F	E	R

A
Alcool

B
Bar (2)
Beuverie
Biberon
Bistrot
Boisson
Breuvage

C
Cabaret
Coupe

E
Eau

H
Hôtel

I
Ivre (2)
Ivrogne

L
Laper
Lie

M
Mamelle

N
Noir

P
Paille

R
Ribote

S
Soif (2)

T
Tasse
Taverne
Téter
Tétine
Toast

V
Verre
Vin

N° 74
Thème : Maladie
Mot de 9 lettres

N	E	I	M	E	D	I	P	E	S	S	E
L	O	R	E	T	S	E	L	O	H	C	S
A	L	S	I	R	V	B	N	R	Y	A	U
T	E	C	I	C	A	A	A	C	P	R	E
I	P	A	A	R	T	G	S	H	O	L	I
P	R	N	U	E	E	E	E	O	C	A	G
O	E	C	T	R	Q	U	R	L	O	T	A
H	N	E	A	U	E	E	G	E	N	I	T
I	C	R	E	N	R	I	C	R	D	N	N
E	A	L	C	U	C	L	L	A	R	E	O
E	L	A	C	E	T	E	B	A	I	D	C
É	S	U	R	I	V	E	R	V	E	I	F

A
Acné (2)

C
Cancer (2)
Choléra
Cholestérol
Contagieuse
Cure

D
Diabète

E
Épidémie

F
Fièvre

G
Guérison

H
Hôpital
Hypocondrie

I
Ictère
Incurable

L
Lèpre

R
Rage (2)

S
Scarlatine
Séquelle

T
Tétanos

V
Virus

N° 75
Thème : Diamant
Mot de 9 lettres

C	E	U	Q	O	L	E	D	N	E	P	S
B	A	E	R	R	B	E	E	P	N	F	A
R	E	R	U	E	T	I	U	L	I	C	N
I	U	P	B	T	L	O	J	A	B	I	C
L	G	H	E	O	C	L	N	O	T	A	Y
L	N	V	M	B	N	C	I	N	U	C	T
A	A	A	A	A	A	A	A	A	A	A	A
N	G	G	F	I	C	M	D	R	T	V	L
T	U	E	L	P	A	L	A	O	U	R	C
E	U	L	S	D	U	T	E	A	S	I	E
X	E	U	A	E	E	R	E	V	I	L	C
S	R	S	I	T	E	L	L	I	U	E	F

A
Adamantin
Avril

B
Bague
Bijou
Brillant

C
Carat
Carbonado
Cliver
Coupe

E
Eau (2)
Éclat

Feuilletis
Feux
Fiançailles

G
Gangue

M
Macle

N
Navette

P
Pendeloque
Pur (2)

S
Sancy

T
Table
Tailler

N° 76

Thème : Fête
Mot de 8 lettres

E	T	I	N	N	E	L	O	S	C	D	E
E	R	L	F	I	O	F	E	B	A	C	R
R	U	I	O	I	I	C	F	T	N	E	F
I	E	J	A	E	E	E	E	A	E	S	E
S	S	S	S	S	S	S	S	S	S	S	S
I	N	T	N	T	R	S	T	B	N	E	T
A	A	E	I	A	I	E	R	A	A	M	I
L	D	V	L	U	D	N	V	L	D	R	V
P	A	A	O	C	O	N	V	I	E	E	I
L	G	J	E	R	I	O	F	I	N	K	T
T	E	U	Q	N	A	B	A	L	T	N	E
R	E	R	O	M	E	M	M	O	C	E	A

A
Anniversaire

B
Bal (2)
Banquet

C
Commémorer
Convié

D
Danse
Danser
Danseur
Date

F
Festival
Festivité
Fiesta (2)
Foire

G
Gala

I
Invité

J
Joie

K
Kermesse

N
Noces

P
Plaisir

R
Réjouissance

S
Solennité

N° 77
Thème : Feuille
Mot de 5 lettres

N	O	S	I	A	D	N	O	R	F	N	C
N	I	P	A	S	F	O	L	I	O	L	E
E	E	E	R	S	E	L	I	S	S	E	S
G	C	T	E	E	E	N	I	A	G	M	N
A	A	I	N	V	N	A	L	N	H	O	E
L	D	O	A	E	L	M	E	A	E	R	L
L	U	L	F	L	R	R	O	G	M	T	L
I	Q	E	I	O	V	R	R	T	I	E	I
U	U	U	U	U	U	U	U	T	U	T	U
E	E	G	R	L	O	B	E	C	E	A	G
F	I	E	R	B	R	A	C	T	E	E	I
R	E	N	N	E	P	I	R	A	P	D	A

A
Aiguille
Arbre
Automne

B
Bourgeon
Bractée

C
Caduque

D
Décurrente

F
Faner
Feuillage

Feuillaison
Foliole
Frondaison

G
Gaine

L
Lame
Lobe

M
Morte

N
Nervure

P
Paripenné
Pétiole

R
Rougir

S
Sapin
Sessile
Sève

T
Tige

82

N° 78
Thème : Danse
Mot de 7 lettres

E	N	N	E	I	V	O	C	A	R	C	E
A	S	E	N	I	U	G	I	B	S	L	D
H	P	L	S	A	T	O	J	E	L	G	N
C	A	A	A	I	M	A	G	E	O	M	A
A	V	B	S	V	A	U	T	V	G	E	B
H	A	M	A	S	E	N	S	O	N	N	A
C	N	A	P	D	E	B	O	E	A	U	R
A	E	S	I	R	O	P	J	L	T	E	A
H	T	L	A	L	A	B	I	A	O	T	S
C	L	T	E	U	G	I	G	E	V	P	E
E	D	R	A	B	M	I	U	G	D	A	T
E	O	N	O	T	S	E	L	R	A	H	C

B
Bal
Biguine
Boléro

C
Chachacha
Charleston
Cracovienne

G
Gigue
Guimbarde

J
Java
Jota

M
Menuet
Musette

P
Pas
Passe-pied
Pavane
Polonaise

S
Samba
Sarabande
Séguedille

T
Tango
Tarentelle

V
Valse

Nº 79
Thème : Contre le crime
Mot de 6 lettres

A	N	N	O	I	T	C	A	R	F	F	E
S	E	G	A	L	L	I	R	G	C	S	P
N	I	M	R	O	E	L	A	O	S	E	A
O	L	E	G	V	R	R	F	I	B	T	T
I	V	N	E	M	U	F	A	C	I	I	R
T	O	A	N	M	R	C	S	L	L	R	O
C	L	C	T	E	R	A	A	E	L	U	U
N	E	E	F	I	E	A	C	F	E	C	I
A	U	O	O	E	S	E	N	T	T	E	L
S	R	R	T	E	R	R	A	I	I	S	L
T	I	E	M	I	T	C	I	V	A	O	E
T	E	T	T	E	N	I	A	H	C	M	N

A
Action
Argent
Arrêt

B
Billet

C
Chaînette
Clef
Coffre-fort

E
Effraction

G
Grillage

L
Lien

M
Main armée
Menace

P
Patrouille

R
Recel

S
Sac
Sanctions
Sécurité
Serrure

T
Tiroir-caisse

V
Victime
Vol
Voleur

N° 80

Thème : Baleine
Mot de 5 lettres

I	M	S	E	C	A	T	E	C	U	E	E
T	R	A	V	I	V	I	P	A	R	E	R
E	I	F	M	S	U	A	E	S	M	M	E
C	A	A	R	M	A	N	A	A	Y	G	I
A	H	N	E	R	I	N	U	N	S	Y	N
M	C	O	M	E	E	F	O	O	T	P	I
R	S	N	L	S	V	G	E	J	I	O	E
E	O	A	P	E	E	R	A	R	C	U	L
P	B	E	R	R	N	E	A	N	E	M	A
S	C	I	D	G	T	M	R	R	T	O	B
E	O	E	H	C	N	A	R	F	E	N	E
N	A	E	C	O	G	R	A	I	S	S	E

B
Baleineau
Baleinière

C
Cétacés
Chair

E
Eau (2)
Espèce
Évent

F
Fanon
Franche

G
Graisse
Gras

J
Jonas (2)

M
Mammifère
Mer (2)
Mysticètes

N
Nager
Noire

O
Océan

P
Poumons
Pygmée

R
Rare

S
Spermaceti

V
Vivipare

No 81
Thème : Soleil
Mot de 7 lettres

P	T	N	O	I	T	A	L	O	S	N	I
R	N	T	N	A	H	C	U	O	C	P	R
O	E	R	O	R	U	A	E	S	H	O	L
T	M	E	B	A	U	B	E	O	D	E	U
U	E	L	O	R	U	E	T	E	O	R	M
B	N	U	N	A	I	O	L	S	T	T	I
E	N	C	D	L	S	L	L	A	E	S	E
R	O	A	E	P	I	Z	L	U	H	A	R
A	Y	F	H	U	H	C	A	E	I	C	E
N	A	E	O	A	E	A	I	G	R	R	R
C	R	H	E	S	P	I	L	C	E	E	E
E	R	E	H	P	S	O	M	O	R	H	C

A
Astre
Aube (2)
Aurore

B
Briller

C
Chaleur
Chromosphère
Couchant

E
Éclat
Éclipse
Est

F
Facule

G
Gaz

H
Halo
Houille d'or

I
Insolation

L
Luire
Lumière

O
Onde

P
Photosphère
Protubérance

R
Rayonnement

Nº 82

Thème : Plante potagère

Mot de 8 lettres

E	O	T	E	V	A	N	E	S	C	T	E
E	T	R	E	S	A	T	I	O	O	G	L
V	H	T	A	V	A	D	I	P	R	C	L
A	A	S	O	T	A	N	I	E	T	A	I
R	R	L	A	R	A	N	P	E	N	N	U
E	I	P	E	M	A	S	H	S	E	T	O
T	C	S	S	M	A	C	O	P	M	A	R
T	O	I	B	R	A	J	I	A	I	L	T
E	T	O	E	C	A	N	I	N	P	O	I
B	U	P	H	V	A	D	G	A	A	U	C
R	N	O	D	R	A	C	I	I	I	P	F
I	U	S	D	T	A	R	O	S	L	I	A

A
Ache
Ail (2)
Asperge

B
Betterave

C
Cantaloup
Cardon
Carotte
Chou
Citrouille

E
Épinard
Ers

H
Haricot

I
Igname

M
Manioc

N
Navet (2)

P
Panais
Patate
Piment
Pois

R
Radis (2)
Rave

S
Soja

T
Taro (2)
Topinambour

N° 83
Thème : Conifère
Mot de 11 lettres

E	R	D	E	C	Y	P	R	E	S	E	A
V	N	S	A	Y	U	H	T	A	N	G	I
A	E	I	E	R	F	Y	B	O	Y	E	N
I	P	R	P	Q	I	L	C	M	C	N	O
R	I	E	T	A	U	L	N	R	Y	E	T
A	N	N	E	S	E	O	D	F	P	V	G
C	E	I	T	A	S	C	I	E	R	R	N
U	T	S	R	P	I	L	I	A	E	I	I
A	T	E	E	I	O	A	N	P	S	E	L
R	E	R	V	N	B	D	O	E	E	R	L
A	M	E	L	L	I	U	G	I	A	L	E
E	Z	E	L	E	M	S	A	P	I	N	W

A
Aiguille
Araucaria

B
Bois

C
Cèdre
Cône
Cyprès (2)

E
Épicéa
Épinette

G
Genévrier
Gymnosperme

I
If (2)

M
Mélèze

P
Phyllocladus
Pin

R
Résine

S
Sapin (2)
Séquoia

T
Thuya

V
Vert (2)

W
Wellingtonia

N° 84
Thème : Chauffage
Mot de 7 lettres

E	L	I	U	H	E	M	M	A	L	F	E
R	F	A	S	U	L	G	U	D	H	S	R
U	O	C	E	I	E	A	A	U	I	C	E
T	Y	F	H	A	O	Z	E	A	V	H	F
A	E	B	T	A	P	B	N	H	E	A	I
R	R	R	O	B	R	R	R	C	R	R	R
E	E	S	U	I	U	B	U	T	S	B	O
P	S	C	U	O	S	T	O	I	T	O	L
M	H	U	F	I	R	E	F	N	E	N	A
E	E	N	I	M	E	H	C	S	R	E	C
T	E	R	T	E	M	O	M	R	E	H	T
E	L	B	I	T	S	U	B	M	O	C	R

A
Âtre

B
Bois (2)
Bûche

C
Calorifère
Charbon (2)
Chaud
Cheminée
Combustible

E
Enfer

F
Feu

Flamme
Fournaise
Fourneau
Foyer

G
Gaz

H
Hiver
Huile

P
Poêle

S
Stère
Suie (2)

T
Température
Thermomètre

N° 85
Thème : Colorant
Mot de 10 lettres

E	H	C	E	P	M	A	C	C	I	E	E
C	E	D	E	U	G	A	A	A	A	R	N
O	N	N	R	D	C	M	R	M	Q	P	I
C	I	I	C	H	U	U	U	U	E	R	E
H	E	M	O	S	E	C	E	S	O	U	C
E	L	U	G	O	R	R	L	L	S	O	S
N	A	R	S	U	C	U	U	E	I	P	E
I	T	E	C	I	O	C	O	T	N	G	R
L	H	X	T	T	I	C	S	E	A	O	
L	P	R	E	C	N	A	R	A	G	U	U
E	O	N	A	R	F	A	S	P	N	D	L
N	E	N	I	L	I	N	A	I	E	E	F

A
Aniline

C
Cachou
Campêche
Cochenille
Couleur
Curcuma (2)

E
Éosine

F
Fluorescéine

G
Garance
Gaude
Guède

I
Isatis

M
Murex

O
Ocre (2)

P
Pastel
Phtaléine
Pourpre

Q
Quercitron

S
Safran
Sumac (2)

N° 86
Thème : Théâtre
Mot de 8 lettres

E	R	T	A	E	H	T	R	A	C	T	E
R	L	L	E	U	T	I	R	I	P	S	L
I	G	L	E	C	R	A	F	R	E	H	L
D	C	A	I	E	T	H	O	R	C	A	I
I	I	O	G	V	U	L	E	R	E	K	E
C	M	C	M	M	E	I	E	C	I	E	N
U	A	A	O	I	L	D	O	S	P	S	R
L	D	U	S	O	Q	S	U	I	U	P	O
I	R	E	M	Q	T	U	E	A	G	E	C
S	O	E	T	U	U	C	E	D	V	A	J
E	L	I	M	C	E	E	I	N	O	R	I
R	E	E	T	N	A	S	U	M	A	E	E

A
Acte (2)
Amusant

C
Cid
Comique
Corneille
Costume

D
Drôle

F
Farce

G
Gag

H
Humour

I
Ironie

J
Jeu

M
Masque
Molière

P
Pièce (2)

R
Ridiculiser

Rire
Rôle

S
Sel
Shakespeare
Spirituel

T
Théâtre

V
Vaudeville

N° 87
Thème : Chiffres
Mot de 9 lettres

E	T	N	E	R	T	N	S	I	O	R	T
L	C	E	Z	R	O	T	A	U	Q	E	U
L	T	G	N	I	V	X	O	U	Q	T	N
I	T	M	L	P	U	X	I	S	U	N	C
M	R	L	N	E	E	N	T	T	A	A	I
X	I	D	D	E	Z	I	E	R	T	R	N
M	L	L	A	E	U	I	C	P	R	A	Q
T	L	O	L	H	O	F	E	B	E	U	U
N	I	L	N	I	D	S	N	S	T	Q	A
E	O	R	E	Z	A	E	T	E	I	D	N
C	N	E	T	N	E	R	T	P	N	I	T
N	O	I	L	L	I	B	D	T	U	X	E

B
Billion

C
Cent (2)
Cinquante

D
Deux
Dix (2)
Douze

H
Huit

M
Mille
Milliard
Million

N
Neuf

O
Onze

Q
Quarante
Quatorze
Quatre
Quinze

S
Seize
Sept (2)
Six

T
Treize

Trente (2)
Trillion
Trois

U
Un
Unité

V
Vingt

Z
Zéro

N° 88
Thème : Coiffure
Mot de 8 lettres

N	O	I	R	O	M	T	E	R	E	B	T
E	B	U	T	M	E	E	S	Z	R	T	E
H	A	O	S	M	E	G	R	E	E	E	L
C	C	M	R	A	I	L	I	A	D	F	U
U	A	A	A	B	L	T	O	I	I	I	P
O	P	S	U	N	O	A	A	N	B	T	A
B	U	S	Q	N	A	D	D	O	M	T	C
R	C	K	A	U	E	P	N	E	O	A	T
A	H	C	E	M	E	N	B	L	T	Z	O
T	O	B	E	P	E	T	A	I	U	E	Q
R	N	E	R	T	I	C	T	O	B	F	U
E	L	L	I	T	N	A	M	E	E	I	E

A
Armet
Attifet

B
Béret
Bibi
Bonnet

C
Calot
Canotier
Capuchon
Capulet
Casquette

D
Diadème

F
Fez (2)

G
Gibus

K
Képi

M
Mantille
Melon
Morion

P
Panama

S
Salade

T
Tarbouche
Tiare
Toque
Tube (2)

N° 89
Thème : Cheveux
Mot de 8 lettres

E	E	T	E	I	C	E	P	O	L	A	E
V	E	T	R	E	H	C	E	M	I	R	T
U	O	R	T	E	C	R	E	P	U	P	T
A	N	U	C	A	S	H	E	F	E	E	E
H	D	E	F	F	N	S	F	P	L	R	U
C	U	D	R	E	R	I	E	R	C	R	Q
H	L	N	A	V	O	I	E	A	U	U	A
I	A	O	N	C	G	L	S	I	O	Q	L
G	T	L	G	N	A	R	C	E	B	U	F
N	I	B	E	S	S	O	R	B	R	E	U
O	O	E	R	U	T	N	I	E	T	E	O
N	N	E	L	U	C	I	L	L	E	P	R

A
Alopécie

B
Blondeur
Boucle
Brosse

C
Chauve
Chignon
Coiffure
Cran
Crépu

E
Épi

F
Frange
Friser

M
Mèche

N
Natte

O
Ondulation

P
Peigne
Pellicule
Perruque

R
Raie
Rouflaquette

T
Teinture
Tressé

N° 90
Thème : Champignon
Mot de 6 lettres

O	F	E	M	O	L	O	H	C	I	R	T
T	U	E	R	I	A	V	A	L	C	N	A
E	E	E	F	F	U	R	T	O	O	A	M
T	O	L	C	E	R	O	P	S	L	T	A
E	B	U	L	L	C	R	N	R	L	A	D
D	E	S	E	E	I	I	O	E	Y	S	O
E	D	S	V	N	R	T	N	P	B	T	U
N	E	U	L	P	A	E	O	E	I	E	V
E	I	R	O	G	G	E	T	C	E	L	I
G	O	C	V	L	A	M	E	A	Y	O	E
R	F	E	L	L	O	R	I	G	R	B	R
E	L	L	E	M	U	O	C	U	O	C	E

A
Agaric
Amadouvier

B
Bolet Satan

C
Cèpe
Clavaire
Clitocybe
Collybie
Coprin (2)
Coucoumelle
Craterelle

F
Foie-de-bœuf

G
Girolle

L
Lame

R
Russule

S
Spore

T
Tête-de-nègre
Tricholome
Truffe

V
Volve

N° 91
Thème : Printemps
Mot de 10 lettres

N	O	E	G	R	U	O	B	S	L	R	R
R	E	L	F	E	E	C	N	E	M	E	S
A	P	I	R	M	A	C	G	V	V	C	T
S	E	R	A	E	U	E	F	E	I	N	I
P	R	V	I	S	D	L	I	A	H	A	E
O	E	A	S	N	E	L	M	A	S	S	D
U	I	U	V	U	T	R	S	E	E	S	E
T	L	A	R	R	U	A	U	F	V	I	U
I	B	S	M	O	I	Q	N	D	E	A	R
T	A	F	M	S	A	L	E	I	R	N	C
S	R	A	O	P	T	R	E	V	E	E	R
A	E	N	R	I	D	R	E	V	E	R	V

A
Amour
Avril (2)

B
Bourgeon

C
Crue

D
Dégel

E
Eau
Érablière

F
Fleurs
Frais

M
Mai (2)

P
Pâques
Printanier

R
Raspoutitsa
Renaissance
Réveil
Reverdir

S
Saison
Semence
Semer
Sève (2)

T
Tiédeur

V
Verdure
Vert

Nº 92
Thème : Mariage
Mot de 7 lettres

S	T	R	A	P	E	R	I	A	F	N	T
E	B	E	L	P	U	O	C	T	U	N	N
L	E	S	C	N	N	B	O	P	E	E	I
L	N	S	A	O	I	D	T	M	S	O	O
I	E	E	U	C	R	I	E	N	I	P	J
A	D	M	T	E	A	T	E	U	A	U	N
S	I	O	E	L	N	P	E	S	X	M	O
U	C	R	L	E	S	B	S	G	O	U	C
O	T	P	S	I	A	I	U	I	E	N	N
P	I	N	D	N	O	Q	T	U	D	I	O
E	O	E	C	N	A	I	L	L	A	O	J
C	N	A	N	N	E	A	U	E	T	N	T

A
Alliance
Anneau
Autel

B
Ban
Bénédiction

C
Conjoint
Consentement
Couple
Cortège

D
Deux

Dispense
Dot (2)

E
Épousailles

F
Faire-part

J
Jonc

M
Moitié

N
Noce
Nuptial

O
Oui

P
Passion
Promesse

U
Union
Unir

MOTS MYSTÈRES

N° 93
Thème : Meuble
Mot de 7 lettres

T	U	H	A	B	E	R	I	O	M	R	A
V	U	R	T	A	C	B	N	B	A	U	C
T	A	E	I	N	E	A	A	B	S	E	O
A	E	I	L	C	V	N	N	E	R	S	M
B	R	N	S	I	C	P	C	A	T	I	M
O	U	N	D	S	U	R	O	A	P	V	O
U	B	O	O	G	E	E	B	U	E	E	D
R	R	F	A	T	S	L	T	E	F	L	E
E	A	F	A	I	E	E	I	U	R	E	G
T	O	I	A	T	R	O	N	E	A	T	E
S	R	H	E	S	I	A	H	C	R	F	I
E	C	C	E	S	U	E	S	U	A	C	S

A
Armoire

B
Bahut
Banc (2)
Bar
Ber
Bureau

C
Canapé
Causeuse
Chaise(2)
Chiffonnier
Commode

D
Divan

F
Fauteuil

L
Lit

P
Pouf

S
Secrétaire
Siège
Sofa (2)

T
Table
Tabouret
Téléviseur
Trône

V
Vaisselier

N° 94
Thème : Musique
Mot de 9 lettres

E	E	O	U	D	R	O	C	C	A	C	E
L	L	R	A	M	R	E	T	O	N	L	M
C	E	N	T	T	U	A	S	O	C	U	U
S	S	S	S	S	S	S	S	S	S	S	S
E	Y	E	E	O	E	N	I	I	A	O	E
E	A	M	L	I	A	H	C	C	N	B	R
M	T	M	P	H	D	I	C	A	A	S	E
H	E	A	C	H	E	I	T	R	L	L	N
T	M	G	Q	N	O	E	R	I	O	N	A
Y	P	T	R	E	C	N	O	C	M	O	D
R	O	I	T	T	U	T	I	U	E	T	E
E	N	I	T	A	N	O	S	E	B	E	E

A
Accord

B
Basse
Bémol

C
Chanson
Clé (2)
Concert

D
Danse
Dièse
Duo

G
Gamme

M
Maestro
Muse
Musical
Musicien

N
Noire
Note (2)

O
Orchestre

R
Rythme

S
Sérénade
Sol
Sonate
Sonatine
Symphonie

T
Tempo
Tutti

N° 95
Thème : Abeilles
Mot de 10 lettres

C	I	R	E	F	R	E	N	I	T	U	B
E	H	T	N	A	L	I	H	P	E	A	R
A	E	P	I	U	I	C	E	C	U	P	E
S	P	M	E	X	U	I	E	M	Q	R	H
O	M	I	R	B	N	L	M	I	I	O	C
C	O	E	C	O	L	S	E	A	T	V	U
I	R	L	L	U	E	L	L	S	S	I	R
E	T	O	L	R	L	V	O	S	E	S	M
T	C	E	U	D	E	T	E	E	M	I	E
E	S	Q	T	O	S	F	U	E	O	O	L
M	I	E	L	N	E	D	A	R	D	N	O
P	U	E	R	S	L	A	R	V	E	S	E

A
Alvéole
Apiculture

B
Butiner

C
Cellules
Cire
Colonie

D
Dard
Domestique

E
Essaim

F
Faux bourdons

L
Larves

M
Méloé (2)
Miel (2)

O
Œufs

P
Philanthe
Piqûres
Provisions

R
Reine
Rucher

S
Société

T
Trompe

N° 96

Thème : Anges

Mot de 9 lettres

R	E	G	A	S	S	E	M	N	A	T	N
V	N	O	I	T	A	N	I	M	O	D	P
O	U	T	L	G	N	H	V	L	A	R	U
L	T	R	E	A	P	A	E	O	I	T	I
G	R	O	S	A	R	G	H	N	L	I	S
A	E	N	R	D	N	C	C	C	E	R	S
R	V	E	U	A	C	I	H	R	S	P	A
D	S	L	E	I	P	L	I	A	E	S	N
I	I	L	E	A	H	P	A	R	N	E	C
E	Q	L	U	C	I	F	E	R	U	G	E
N	E	T	N	I	B	U	R	E	H	C	E
S	E	G	N	A	S	I	A	V	U	A	M

A
Ailes (2)
Angelot
Archange

C
Chant
Chérubin
Ciel
Créé

D
Domination
Dulie

E
Esprit

G
Gardien

L
Lucifer

M
Mauvais anges
Messager

P
Principauté
Puissance

R
Raphaël

S
Séraphin

T
Trône

V
Vertu
Vol (2)

N° 97
Thème : Bruit
Mot de 4 lettres

D	R	A	B	M	A	H	C	I	R	E	C
T	E	G	A	P	A	T	R	O	C	R	R
R	O	C	T	E	P	A	N	O	L	E	I
U	R	N	R	A	V	F	U	B	A	N	S
E	A	O	N	I	L	P	C	R	P	N	S
M	L	S	R	E	B	C	A	U	O	O	E
A	E	A	M	P	R	M	E	I	T	R	R
L	H	E	E	H	D	R	O	T	I	N	U
C	N	T	C	A	L	F	E	R	S	O	M
T	E	E	M	R	A	C	A	V	V	R	R
R	E	S	O	N	N	E	M	E	N	T	U
O	T	N	E	M	E	P	P	A	L	C	M

B
Bruit

C
Chambard
Charivari
Clameur
Clapotis
Clappement
Coup
Cri
Crisser

E
Éclat

F
Flac

M
Murmure

P
Pet
Péter

R
Râle
Ramdam
Résonnement
Ronflement
Ronronner

S
Son

T
Tapage
Tonnerre

V
Vacarme
Vrombi

N° 98
Thème : Bouche
Mot de 6 lettres

C	S	R	E	R	I	R	U	O	S	N	R
E	E	E	R	V	E	L	A	B	O	D	U
B	V	T	V	S	S	A	L	I	V	E	E
E	I	U	I	A	I	B	T	O	E	N	O
R	C	O	E	R	B	A	I	E	L	T	C
I	N	G	F	N	C	X	L	V	L	I	S
O	E	A	B	I	I	C	I	A	I	F	U
H	G	E	T	M	L	E	L	B	P	R	T
C	E	S	O	S	E	E	L	A	A	I	C
A	A	U	T	U	O	G	T	A	P	C	I
M	E	R	E	L	U	E	U	G	H	E	R
R	E	I	T	N	E	D	R	E	T	E	T

B
Balèvre
Bave (2)
Bec
Bée

C
Clapet
Cœur
Cri

D
Dentier
Dentifrice

F
Filet

G
Gencives
Goût
Goûter
Gueule

H
Haleine

M
Mâchoire
Mastication
Moue

P
Palais
Papille

R
Rictus

S
Salive
Sourire

T
Téter

V
Voix

N° 99
Thème : Glace
Mot de 7 lettres

I	E	S	I	U	Q	N	A	B	N	F	C
N	E	L	I	S	E	R	G	O	V	O	E
L	E	V	S	F	R	O	I	D	N	N	R
A	R	U	E	A	U	T	E	G	Y	D	I
N	E	A	R	N	A	G	E	E	S	R	O
D	I	E	A	I	I	L	K	B	O	E	N
S	C	R	C	V	A	C	G	U	L	H	I
I	A	A	R	T	O	G	E	C	I	I	T
S	L	E	I	H	C	L	L	B	D	V	A
G	G	O	G	L	O	A	E	A	E	E	P
S	N	O	C	A	L	G	R	G	C	R	S
C	A	R	E	S	B	E	B	U	C	E	G

B
Banquise
Bloc

C
Congélation
Cube (2)

E
Eau (2)

F
Fondre
Froid

G
Gel
Geler
Givre

Glace
Glaciation
Glacière
Glaçons
Grésil

H
Hiver
Hockey

I
Iceberg
Inlandsis

N
Névé

P
Patinoire

S
Sérac (2)
Solide

N° 100
Thème : Hiver
Mot de 8 lettres

M	R	U	E	H	C	N	A	L	B	P	N
N	I	T	A	P	D	R	A	L	U	O	F
C	O	R	E	I	R	V	E	F	I	U	E
A	H	E	T	E	P	M	E	T	E	D	G
R	E	A	L	R	A	I	A	U	G	R	A
N	R	S	U	R	E	S	T	Q	I	E	N
A	U	K	S	F	I	I	N	U	E	R	I
V	D	I	A	R	F	K	V	E	N	I	T
A	I	N	O	E	L	A	S	N	I	E	A
L	O	B	E	C	A	L	G	I	A	G	P
N	R	E	S	A	L	G	R	E	V	J	E
A	F	E	S	O	V	I	N	L	E	G	S

A
Arborisation

B
Blanchéur

C
Carnaval
Chauffage

F
Février
Foulard
Froidure

G
Gel
Glace

J
Janvier

M
Mars

N
Neige (2)
Nivôse
Noël (2)

P
Patin
Patinage
Poudrerie

S
Ski (2)

T
Tempête
Tuque

V
Verglas

N° 101
Thème : Habitation
Mot de 10 lettres

T	D	R	P	I	D	I	N	E	S	D	E
N	O	L	E	T	O	H	R	E	I	C	R
E	M	M	A	S	M	E	S	N	A	P	E
M	A	N	O	S	I	A	M	S	L	R	I
E	I	E	O	M	C	D	T	A	A	O	N
G	N	C	U	O	I	E	E	D	P	P	N
O	E	A	A	A	L	M	T	N	A	R	O
L	H	B	B	B	E	G	O	I	C	I	C
C	A	S	E	U	A	T	I	E	G	E	R
R	I	I	R	T	E	N	T	E	R	T	A
U	A	E	T	A	H	C	E	L	O	E	G
T	N	E	M	E	T	R	A	P	P	A	E

A
Appartement

C
Cabane
Case (2)
Castel
Château
Chaumière

D
Demeure
Domaine
Domicile

G
Garçonnière
Geôle
Gîte

H
Hôtel

I
Igloo
Isba (2)

L
Logement

M
Maison
Mas

N
Nid (2)

P
Palais
Propriété

R
Résidence

T
Tente
Toit

N° 102
Thème : Hydrographie
Mot de 7 lettres

L	A	N	A	C	T	N	E	R	R	O	T
A	L	A	V	A	T	I	O	R	T	E	D
N	I	U	E	U	G	R	O	P	L	D	O
E	T	E	A	U	B	C	E	E	C	A	L
H	N	V	E	E	E	A	S	M	F	C	E
C	A	U	I	A	S	S	S	F	E	S	S
L	R	E	N	L	I	S	L	S	T	A	T
D	U	L	I	U	A	U	I	S	I	C	U
E	O	F	R	M	E	C	R	U	E	N	A
B	C	S	O	N	E	T	I	E	R	O	I
I	N	N	T	E	R	E	I	V	I	R	R
T	T	M	A	R	E	E	G	A	I	T	E

A
Affluent
Amont
Aval (2)

B
Bassin

C
Canal
Cascade
Chenal
Courant
Crue

D
Débit
Détroit

E
Estuaire
Étiage
Étier (2)

F
Fil
Fleuve

G
Gué(2)

L
Lac
Lit

M
Marée
Mer

O
Océan

R
Rivière
Ruisseau
Ruisselet

T
Torrent

No 103
Thème : Conversation
Mot de 13 lettres

M	E	T	E	T	A	E	T	E	T	I	N
T	O	D	E	G	A	G	N	A	L	S	C
E	E	T	I	T	S	T	E	R	E	E	O
L	R	J	S	A	R	O	C	L	G	S	M
E	E	L	U	E	L	O	P	A	O	A	M
P	S	V	T	S	Q	O	L	O	J	R	U
H	R	I	O	A	E	L	G	A	R	H	N
O	E	C	L	I	I	L	S	U	U	P	I
N	V	A	S	B	X	E	T	E	E	U	Q
E	N	T	A	R	R	E	L	R	A	P	U
E	O	B	C	O	M	M	E	R	A	G	E
M	C	E	G	A	D	R	A	V	A	B	R

B
Babillage
Bavardage

C
Commérage
Communiquer
Converser
Coq-à-l'âne

D
Dialogue
E
Entretien

J
Jaser

L
Langage

M
Mots (2)

P
Parler
Phrases
Propos

S
Sel (2)
Sujet

T
Téléphone

Tête-à-tête

V
Voix

Nº 104
Thème : Cloches
Mot de 9 lettres

E	E	C	C	T	N	I	A	R	I	A	T
N	Z	O	L	G	N	O	D	C	L	N	C
N	N	U	O	O	S	A	L	O	E	O	A
O	O	P	I	A	C	O	T	M	N	S	M
L	R	C	L	O	C	H	E	T	G	G	P
L	B	G	H	H	R	T	A	R	A	E	A
I	D	O	E	A	N	F	E	I	E	B	N
R	I	R	U	I	S	L	F	L	L	C	I
A	N	H	T	R	O	S	O	E	S	L	L
C	G	E	T	T	D	V	E	O	B	O	E
E	N	N	O	R	U	O	C	H	O	C	N
E	P	A	H	C	R	E	N	N	O	S	N

A
Airain

B
Battant
Beffroi
Bourdon
Bronze

C
Campanile
Carillonne
Chape
Chasse
Choc
Clochaille

Clocher
Coup
Couronne

D
Ding
Dong (2)

G
Glas
Grelot

S
Son (2)
Sonner

T
Tintement

V
Volée

Nº 105
Thème : Canard
Mot de 8 lettres

E	N	N	E	D	I	R	T	M	A	T	R
R	E	L	L	I	S	A	N	C	E	E	V
R	N	U	N	A	D	A	P	H	D	I	C
C	A	I	N	O	G	E	C	I	G	E	A
E	A	A	R	E	N	U	E	N	L	D	N
C	L	N	U	A	O	G	O	L	C	E	E
O	E	L	A	S	D	N	I	O	H	P	T
L	M	E	E	R	C	N	M	V	I	I	O
V	L	I	S	C	D	A	A	U	P	M	N
E	A	D	I	S	R	E	N	M	E	L	V
R	P	E	O	E	E	A	A	E	A	A	O
T	D	R	A	L	A	M	S	U	U	P	L

A
Anas

C
Canardeau
Cane
Caneton
Chipeau
Colvert

E
Eau
Eider (2)

M
Malard
Mandarin
Mare

N
Nage
Nasiller

O
Oiseau

P
Palme
Palmipède
Pilet

R
Ridenne

S
Sarcelle
Souchet

T
Tadorne

V
Vignon (2)
Vol (2)

N° 106
Thème : Chirurgie
Mot de 9 lettres

N	N	N	A	N	O	I	T	A	L	B	A
L	O	O	R	E	R	U	T	U	S	N	T
I	I	I	E	D	N	O	S	N	E	G	N
T	S	T	T	S	E	O	A	S	N	O	E
H	I	C	P	N	P	P	T	A	I	E	M
O	C	E	T	E	E	H	S	T	R	R	U
T	N	S	R	R	E	V	A	E	E	I	R
R	O	E	T	S	P	T	R	I	S	G	T
I	C	R	I	M	U	I	E	E	R	N	S
T	R	E	A	P	N	G	A	N	T	E	N
I	I	L	M	E	U	Q	S	A	M	N	I
E	C	A	I	R	U	O	T	S	I	B	I

A
Ablation
Anesthésie
Amputation

B
Bistouri

C
Circoncision
Clamp

E
Érigne
Érine (2)

G
Gant

I
Instrument
Intervention

L
Lithotritie

M
Masque

O
Opéré

R
Résection

S
Sang

Sonde
Suturer

T
Trépan

N° 107
Thème : Crustacé
Mot de 8 lettres

R	E	N	I	L	U	C	C	A	S	E	S
E	L	C	E	N	A	L	A	B	P	I	U
M	A	S	R	T	E	C	O	O	E	N	P
E	N	U	U	E	R	O	L	P	L	H	A
D	G	P	E	A	V	C	Z	Y	L	P	C
E	O	A	B	F	Y	I	T	R	I	A	R
C	U	E	E	C	I	A	S	E	R	D	E
U	S	C	O	P	L	T	C	S	T	R	V
P	T	I	Z	I	I	N	A	R	E	A	E
M	E	R	T	T	I	N	E	N	A	M	T
E	T	R	O	P	O	L	C	U	A	O	T
R	E	E	S	U	E	A	N	E	P	H	E

A
Anatife
Apus (2)

B
Balane
Bopyre

C
Cirre
Cloporte
Crabe
Crevette
Cyclope

D
Daphnie

E
Écrevisse
Étrille

H
Homard

L
Langouste

M
Mer

P
Penaeus
Pince (2)
Puce de mer

S
Sacculine

T
Talitre

Z
Zoé (2)

N° 108
Thème : Fourrure
Mot de 5 lettres

N	T	O	L	E	C	O	L	L	E	C	S
E	O	D	R	A	N	E	R	I	H	L	K
T	N	S	P	I	M	A	R	I	P	Y	N
I	D	E	I	R	U	E	N	A	T	N	U
M	A	I	U	V	T	C	E	Z	E	X	K
U	T	M	B	E	H	N	O	E	C	S	S
S	R	O	L	I	I	R	N	R	U	A	C
S	A	L	L	L	I	N	A	T	R	R	A
O	E	L	E	L	V	A	I	R	E	I	S
P	A	B	L	O	C	A	N	A	U	G	T
O	I	E	R	T	U	O	L	M	I	U	O
Z	N	I	D	N	O	G	A	R	L	E	R

B
Boa

C
Castor
Chinchilla
Cuir

E
Écureuil

G
Guanaco

L
Loutre
Lynx

M
Martre
Mite
Murmel

O
Ocelot
Ondatra
Opossum

P
Peau
Pelleterie

R
Renard
Ragondin

S
Sarigue
Skunks

T
Tan (2)

V
Vair
Vison

Z
Zibeline
Zorille

N° 109
Thème : Forme
Mot de 7 lettres

E	E	T	G	N	O	L	B	O	S	C	L
M	R	U	U	O	C	R	A	P	D	O	E
R	C	S	Q	B	O	E	H	F	N	N	M
O	O	S	U	I	U	E	I	G	A	T	R
F	N	O	N	Q	R	L	T	N	R	O	O
F	I	B	I	I	T	D	A	O	G	U	F
I	Q	B	Q	E	A	D	N	I	R	R	I
D	U	U	L	N	M	C	D	I	R	S	C
C	E	A	G	E	A	I	S	R	L	E	N
U	V	L	R	R	F	I	N	O	O	Y	U
O	E	E	R	I	A	L	U	C	R	I	C
R	U	E	S	S	I	A	P	E	E	G	T

A
Angle
Arc

B
Bossu

C
Carré
Circulaire
Conique
Contours
Court
Cubique
Cylindrique

D
Difforme
Droit

E
Épaisseur

F
Fil
Fin

G
Grand
Gros

L
Long

M
Mince

O
Oblong

Ovale

S
Sphérique

T
Tors
Tubulaire

U
Unciforme
Uni

N° 110
Thème : Travail
Mot de 9 lettres

R	E	U	S	O	E	R	E	B	L	M	E
U	E	L	B	H	C	P	E	I	L	J	R
E	B	O	C	E	R	C	T	T	O	E	V
U	U	U	U	U	U	U	U	U	U	U	U
S	R	S	E	V	O	G	R	P	S	M	E
L	E	B	I	O	R	N	I	I	E	R	O
N	A	L	P	N	A	I	N	T	U	Y	N
L	U	T	I	L	E	E	E	E	A	E	A
G	E	R	I	A	R	O	H	R	E	F	M
R	R	E	I	T	N	A	H	C	I	U	A
E	R	U	T	C	A	F	U	N	A	M	I
N	O	I	T	C	U	D	O	R	P	R	N

B
Bleu (2)
Bureau

C
Chantier

E
Erg

F
Fatigue

H
Heure
Horaire

J
Journalier

L
Labeur

M
Main
Manœuvre
Manufacture
Muter

O
Occupé
Outil
Ouvrier

P
Paie
Plan
Production

R
Ruche

S
Suer
Sueur

U
Usine
Usiner
Utile

115

Nº 111
Thème : Breuvage
Mot de 9 lettres

R	T	E	N	G	A	P	M	A	H	C	D
U	E	D	U	B	O	N	N	E	T	C	C
E	D	A	N	N	O	R	T	I	C	H	A
U	A	E	U	H	L	I	N	O	O	A	K
Q	C	G	C	E	N	O	G	C	T	B	D
I	S	N	C	I	S	N	O	O	I	L	O
L	U	A	T	S	A	L	N	C	A	I	V
P	M	R	I	C	A	X	I	K	L	S	P
O	A	O	C	T	E	T	G	T	E	A	O
M	B	E	R	R	E	C	N	A	S	H	R
I	O	R	E	T	A	W	C	I	N	O	T
T	I	S	A	N	E	H	T	L	V	N	O

A
Alcool

B
Boisson

C
Chablis
Champagne
Chocolat
Citronnade
Cocktail
Cognac

D
Dubonnet

E
Eau

G
Gin

L
Lait
Liqueur

M
Martini
Muscadet

O
Orangeade

P
Porto
Punch

S
Sancerre

T
Thé (2)
Tisane
Tonic water

V
Vin
Vodka

X
Xérès

N° 112
Thème : Géométrie
Mot de 5 lettres

O	B	T	U	S	S	P	E	N	T	E	R
E	L	G	N	A	E	N	M	O	A	A	D
E	I	E	P	C	O	B	E	I	I	L	S
A	N	M	S	G	O	E	R	S	D	I	P
E	O	O	Y	U	R	T	O	U	R	S	H
C	N	L	G	R	N	N	E	L	O	O	E
E	O	O	A	A	N	E	H	C	I	C	R
P	L	C	G	E	T	G	T	N	T	E	E
O	I	C	M	I	L	N	E	O	E	L	N
I	G	E	R	A	R	A	E	C	P	E	O
N	N	G	G	E	X	T	R	P	E	Y	C
T	E	E	A	R	C	E	N	T	R	E	H

A
Aigu
Angle
Arc
Axe

C
Carré
Centre
Cercle
Compas
Conclusion
Cône
Côté
Courbe

D
Droite

E
Égal

H
Hypoténuse

I
Isocèle

L
Ligne

O
Obtus

P
Pentagone
Pente
Plan
Point
Polygone

R
Raisonnement

S
Sphère

T
Tangente
Théorème
Trigone

Nº 113
Thème : Les courses
Mot de 8 lettres

T	E	H	T	X	U	A	V	E	H	C	D
R	T	S	A	R	I	E	P	I	S	T	E
O	A	U	R	R	A	M	P	O	N	E	Y
P	R	P	A	U	N	P	G	J	J	I	S
S	E	P	I	S	O	A	E	T	O	R	T
T	F	T	E	D	G	C	I	D	C	A	F
E	N	L	R	E	I	A	I	S	K	C	R
T	L	O	U	I	G	T	M	L	E	E	U
E	M	R	L	A	E	O	E	B	Y	A	T
E	E	A	L	A	R	R	S	U	L	K	Y
U	D	O	B	S	T	A	C	L	E	E	N
R	P	G	T	E	T	E	L	I	B	A	H

A
Amble

C
Chevaux
Course

D
Départ

E
Étalon
Étrier

F
Fer

G
Gageure
Galop

H
Habileté
Harnais
Hippodrome

J
Jockey
Joie

L
Lad
Licou

M
Mors

O
Obstacle

P
Pari
Piste
Poney

R
Race
Rapidité
Ruée

S
Saut
Selle
Sport
Sulky

T
Tête (2)
Trot
Turf

N° 114
Thème : Police
Mot de 8 lettres

E	T	R	E	N	I	S	S	U	O	R	I
C	R	E	D	T	N	P	E	S	E	C	N
L	O	I	R	A	E	P	R	D	C	O	S
E	P	M	B	E	O	R	N	E	F	G	P
T	P	I	M	S	I	E	U	F	F	N	E
I	A	L	T	I	H	C	I	S	E	E	C
R	R	E	N	E	S	C	I	L	F	E	T
O	E	M	R	A	I	S	B	R	T	D	E
T	E	P	T	E	R	R	A	A	U	N	U
U	P	A	R	G	O	U	S	I	N	O	R
A	E	M	R	O	F	I	N	U	R	R	S
N	O	I	T	I	S	I	U	Q	R	E	P

A
Appréhender
Argousin
Arme
Arrêt
Autorité

B
Ban (2)

C
Cogne
Commissaire

F
Flic

I
Inspecteur

L
Limier
Loi

O
Officier

P
Perquisition
Poste
Préfet

R
Rapport

Ronde
Roussin

S
Sbire
Souricière
Sureté

U
Uniforme

N° 115
Thème : Neige
Mot de 7 lettres

E	M	M	O	H	N	O	B	G	G	R	L
T	N	E	M	E	I	A	L	B	E	D	C
P	O	N	U	A	E	A	E	V	L	H	E
O	E	L	E	V	C	L	I	S	A	N	S
U	T	R	E	I	L	H	E	S	V	A	U
D	E	N	E	E	G	T	S	K	I	G	E
R	P	R	P	G	T	E	I	I	N	G	L
E	M	E	V	E	N	E	M	S	S	O	F
R	E	S	U	E	E	O	G	E	R	B	F
I	T	Q	I	B	A	N	C	U	N	O	U
E	A	G	N	O	C	O	L	F	L	T	O
R	E	R	U	E	H	C	N	A	L	B	S

B
Banc
Blancheur
Bonhomme

C
Chasse-neige
Congère

D
Déblaiement

E
Eau
Enneigement

F
Flocon

G
Glacier

H
Hiver

L
Luge

N
Névé (2)
Nival

P
Pelle
Poudrerie

R
Raquettes

S
Skis
Souffleuse

T
Tempête
Toboggan
Tôlée

No 116
Thème : Nuit
Mot de 7 lettres

R	A	M	E	H	C	U	A	C	C	E	E
T	N	E	M	M	A	T	I	U	N	T	R
E	N	T	I	U	N	I	M	U	N	N	B
N	R	O	E	V	E	R	L	Y	O	E	M
R	I	U	C	O	U	E	C	D	S	M	O
U	M	T	T	T	D	T	O	X	O	E	E
T	R	D	I	R	A	D	C	U	M	L	T
C	O	R	I	L	E	M	H	E	M	F	O
O	D	A	O	E	R	V	B	F	E	N	I
N	L	P	R	I	O	N	U	U	I	O	L
C	E	A	M	A	J	Y	P	O	L	R	E
E	T	I	R	U	C	S	B	O	C	E	S

C
Cauchemar
Clair de lune
Couverture

D
Dodo
Dormir
Drap

E
Étoiles

F
Feux

L
Lit

M
Minuit

N
Noctambule
Nocturne
Noir
Nuitamment
Nyctalope

O
Obscurité
Ombre

P
Pyjama

R
Rêve
Ronflement

S
Sommeil

No 117
Thème : Outil
Mot de 6 lettres

F	U	P	R	I	O	S	O	R	R	A	N
E	P	A	R	U	A	E	S	I	C	I	E
L	E	T	E	I	O	P	X	F	U	C	D
C	L	S	E	T	I	U	L	Q	H	E	E
S	L	C	H	N	A	E	E	E	T	U	P
E	I	I	C	F	A	R	N	T	S	O	L
C	C	E	A	U	B	I	E	C	E	H	A
A	U	C	H	E	L	N	L	H	R	M	N
T	A	E	L	L	I	O	L	L	P	A	T
E	F	I	O	B	U	L	I	M	E	S	O
U	V	I	E	P	O	L	R	A	V	S	I
R	R	E	H	C	E	B	V	H	I	E	R

A
Arrosoir

B
Bêche
Binette

C
Ciseau
Clef
Clou

D
Déplantoir

E
Échenilloir

F
Faucille
Faux
Fléau

H
Hache
Hie
Houe

L
Lime

M
Masse

P
Pince

R
Râpe
Râteau

S
Scie
Sécateur
Serpe

T
Tenaille

V
Varlope
Vilebrequin
Vrille

N° 118
Thème : Espionnage
Mot de 7 lettres

S	N	O	I	T	A	V	R	E	S	B	O
M	R	F	T	R	O	P	P	A	R	R	E
A	E	E	I	M	E	N	N	E	G	C	R
N	R	M	N	L	A	S	L	A	I	E	E
O	D	M	I	G	E	L	N	V	L	R	M
E	N	E	E	S	I	I	R	I	R	I	O
U	O	N	L	E	S	E	F	E	E	O	U
V	T	C	V	A	S	A	S	R	I	M	C
R	E	R	T	U	T	U	I	N	P	E	H
E	U	I	G	E	R	E	R	R	E	M	A
S	O	R	T	A	S	T	U	C	E	R	R
N	A	S	R	E	G	N	A	R	T	E	D

A
Agent
Argus
Arme
Astuce

D
Délateur

E
Émissaire
Ennemi
Épier
Étranger

F
File
Filer

M
Manœuvre
Mémoire
Mouchard

N
Note

O
Observations
Organisation

R
Rapport
Renseigner
Ruse
Ruser

S
Service
Surveiller

Nº 119
Thème : Eau
Mot de 10 lettres

E	I	U	L	P	T	O	L	F	P	E	E
O	C	P	H	R	T	N	O	P	L	T	D
R	N	A	E	N	E	L	I	E	O	A	A
A	A	A	L	I	A	E	R	U	N	N	N
G	G	G	G	G	G	G	G	G	G	G	G
E	E	E	R	R	O	E	E	A	E	T	I
R	U	E	E	A	S	A	C	V	U	I	A
A	R	S	D	R	I	N	S	R	R	N	B
M	I	M	E	N	A	N	E	I	U	L	P
L	E	V	Q	E	O	A	S	I	S	O	U
R	A	E	C	T	N	E	R	R	O	T	S
E	G	O	U	T	T	E	U	Q	A	L	F

A
Averse

B
Baignade

E
Égout (2)
Étang

F
Flaque
Flot

G
Glace
Goutte
Grain

Grêle
Grésil

I
Île

M
Mare
Mer

N
Nage
Nageur
Neige
Nuage

O
Oasis (2)

Océan
Ondée
Orage

P
Plongeur
Pluie (2)
Pont

S
Source

T
Torrent

V
Vague

N° 120
Thème : Électricité
Mot de 7 lettres

C	R	G	R	T	I	U	C	R	I	C	E
O	O	U	E	U	T	L	O	V	E	E	R
U	T	N	E	N	E	N	O	I	L	C	R
L	T	T	D	T	E	T	Y	E	I	L	E
O	N	F	A	E	A	R	C	E	P	A	N
M	A	O	S	W	N	T	A	U	N	I	N
B	R	U	E	E	R	S	U	T	D	R	O
F	U	D	H	O	L	A	A	M	E	N	T
A	O	R	D	V	E	O	H	T	M	U	I
R	C	E	O	S	R	O	P	G	E	O	R
A	I	L	E	L	B	I	S	U	F	U	C
D	T	R	E	N	O	I	S	N	E	T	R

C
Circuit
Commutateur
Condensateur
Coulomb
Courant

E
Éclair
Électrode

F
Farad
Foudre
Fusible

G
Générateur

H
Henry

I
Inducteur
Ion

O
Ohm

P
Pile
Pôles

R
Réseau

T
Tension
Tonnerre

V
Volt (2)

W
Watt

SOLUTIONS

1.	Prisonnier	33.	Frémir
2.	Civisme	34.	Matière
3.	Neptunium	35.	Roulotte
4.	Soubassement	36.	Coffret
5.	Anniversaire	37.	serpenteau
6.	Campagne	38.	Assiette
7.	Lunette	39.	Guitare
8.	Moto	40.	Châtier
9.	Robson	41.	Permis
10.	Épistolaire	42.	Protection
11.	Astre	43.	Papillons
12.	Prince	44.	Signataire
13.	Godillot	45.	Trictrac
14.	Pékinois	46.	Imbécile
15.	Taverne	47.	Bavarde
16.	Cheddar	48.	Assujettir
17.	Congélation	49.	Tournant
18.	Conte	50.	Clarté
19.	Licence	51.	Brette
20.	Graminées	52.	Février
21.	Albumine	53.	Projection
22.	Inconnu	54.	Fermière
23.	Mordre	55.	Quilles
24.	Bonne nuit	56.	Chrysolite
25.	Réveillon	57.	Hergé
26.	Vêtements	58.	Empan
27.	Ancêtre	59.	Phanérogame
28.	Pantalon	60.	Bigorneau
29.	Fauteuil	61.	Oviparité
30.	Aparté	62.	Souffleter
31.	Infirme	63.	Chaîne
32.	Progresser	64.	Fâcheuse

SOLUTIONS

65. Polaire
66. Micaschiste
67. Aéroport
68. Vénal
69. Révolver
70. Débiter
71. Nourriture
72. Emplette
73. Enivrer
74. Varicelle
75. Enchâsser
76. Célébrer
77. Chute
78. Gavotte
79. Alarme
80. Ordre
81. Solaire
82. Salsifis
83. Arbre de Noël
84. Attiser
85. Indigotine
86. Tragédie
87. Comptable
88. Sombrero
89. Échevelé
90. Oronge
91. Réchauffer
92. Bouquet
93. Bergère
94. Classique
95. Apiculteur
96. Angélique

97. Écho
98. Baiser
99. Verglas
100. Mitaines
101. Pied-à-terre
102. Poisson
103. Interlocuteur
104. Clocheton
105. Macreuse
106. Aseptiser
107. Tourteau
108. Lapin
109. Rondeur
110. Employeur
111. Décoction
112. Degré
113. Demi-sang
114. Descente
115. Glisser
116. Coucher
117. Pioche
118. Secrets
119. Phréatique
120. Énergie